'*Beth bynnag a ymafael dy law ynddo i'w wneuthur, gwna â'th holl egni: canys nid oes gwaith, na dychymyg na gwybodaeth, na doethineb, yn y bedd, lle yr wyt ti yn myned.*'
LLYFR Y PREGETHWR 9:10

'*Yn ei hanfod, mae'n rhaid i chi fyw tan y byddwch yn marw. Gwell gwneud y bywyd hwnnw yn brofiad mor llawn a boddhaus â phosib rhag ofn y bydd marw yn gachu, fel dwi'n amau y bydd.*'
IRVINE WELSH

25 RHAGFYR

DIWRNOD DOLIG OEDD HI, a doedd gen i ddim byd i'w wneud. Rhyw ddiwrnod felly ydi diwrnod Dolig, a doedd dim yn wahanol ynglŷn â hwn.

Mi godais a gwneud tân ac agor y tipyn presantau oedd gen i dan y goeden. Chwarae teg i mi, ro'n i wedi gosod coeden a rhoi 'chydig o drimings o gwmpas y lle – celyn fan hyn a rhyw daffi fan draw, jest i atgoffa fy hun ei bod yn amser arbennig o'r flwyddyn. Doeddwn i ddim yn un i fynd dros ben llestri, ond mi fyddai hi'n gythgam o flwyddyn ddiflas heb ddim i wahaniaethu'r tymhorau.

Swatiodd Sguthan wrth f'ochr i fusnesu. Dwi'n meddwl ei bod hi'n dal i ddod dros y sioc ei bod wedi cael hufen yn ei soser y bore hwnnw. Doedd y stoc presantau ddim yn ddrwg 'leni – dim ond dau sgarff ges i ac un pâr o fenyg. Ges i lyfr da iawn gan Malan a channwyll gan Her. Fyddai'r lleill ddim yn trafferthu efo presantau.

Syllu ar y tân fûm i wedyn yn meddwl pa

mor hwyr faswn i'n gallu ei gadael hi cyn mynd draw i dŷ fy rhieni. Roedd landio yno jest cyn cinio a gadael cyn golchi llestri yn ormod o hyfdra, hyd yn oed i rywun fel fi. Dyna pryd y clywais i gnoc ar y drws.

Cnoc cnoc.

Steddais am hir yn tybio 'mod i'n dychmygu pethau.

Cnoc cnoc.

Pwy ar y ddaear fyddai'n galw ar ddiwrnod Dolig?

Cnoc cnoc.

Dyna un dydd y byddai preifatrwydd pawb yn cael ei barchu.

Cnoc cnoc.

Ceisais sbecian drwy'r ffenest ffrynt i weld pwy oedd 'na, ond fedrwn i weld neb. Falle mai ysbryd oedd yna.

Cnoc cnoc.

Yn y diwedd, rhag ofn ei bod yn argyfwng, agorais y drws. Her oedd yn sefyll yno.

"Be wyt ti isio?"

"Canu carolau ydw i – ond 'mod i wedi colli'n llais," meddai hi gan wthio heibio i mi. "Gad mi ddod i mewn, dwi'n fferru."

"Wyt ti'n cofio pa ddiwrnod ydi hi?" gofynnais.

Roedd Her wedi claddu ei hun yn y gadair ac wedi sodro Sguthan ar ei glin.

"Dolig Llawan i ti!" meddai, efo gwên fyddai'n gwneud yr haul yn eiddigeddus.

"Chwilio am ginio wyt ti?"

"Naci, meddwl basan ni'n gallu mynd draw i weld Pill ro'n i."

"Heddiw?"

"Wyt ti'n gneud rwbath gwell?"

"Dwi fod draw yn nhŷ fy rhieni mewn awr. Fydd gan Pill 'run briwsionyn yn tŷ."

"Mwy o reswm i fynd i'w weld o."

"Awn ni ar ôl cinio."

"Awn ni â cinio efo ni."

"Lladdith Mam fi."

Yn diwedd, mi setlon ni ar gyfaddawd – y fi i fynd i giniawa efo'm rhieni a dod â gweddillion yn ôl efo mi, a Her i fynd i rybuddio Pill. Ar ôl cael paned mi aeth Her, a gwyddwn na fydda fo'n Ddiwrnod Dolig 'run fath ag arfer.

* * *

9

Pan agorodd 'Nhad y drws, wn i ddim pa mor falch oedd o o 'ngweld i.

"Rŵan 'dach chi'n cyrraedd," medda fo'n siomedig wrth i mi gamu dros y trothwy, gweld ei lygaid, a chamu'n ôl i lanhau fy sgidiau ar y mat. "Mae hi wedi bod ei hun bach drwy'r bore yn paratoi."

"Sori."

Mi fûm i bron ag ychwanegu na fyddai Mam ei hun bach tasa ei gŵr hi wedi cydsynio i'w helpu, ond ddaru mi ddim. Naill ai am ei fod o a minna wedi heneiddio ac wedi callio, neu am fod gen i fwy o biti drosto rŵan, wn i ddim. Dipyn o'r ddau mae'n debyg.

"Dolig Llawen, Mam!"

"A chitha Ennyd. Rowliwch y peli stwffin 'na mewn briwsion bara i mi, wnewch chi?"

A rowlio'r peli stwffin mewn briwsion bara ddaru mi yn meddwl be oedd perthnasedd hynny i enedigaeth Gwaredwr, yn gymysg â meddwl am fy mhresantau, ac edrych ymlaen at gwmni Her, a dyfalu be oedd Pill yn ei wneud ar fore Dolig.

"Pasia'r sôs bara i mi, plîs."

"Rhagor o grefi, rhywun?"

"Dim diolch."

"Ydi o wedi cwcio'n iawn?"

"Ydi 'mechan i – cystal ag erioed."

"Ges i'm cystal hwyl ar y sbrowts."

Ia, rhyw ginio Dolig digon tebyg i bob un arall oedd o, digon tebyg i ginio Sul 'blaw am y miloedd powlenni bach oedd yn britho'r bwrdd efo sawsiau gwahanol, a'r stwffin wrth gwrs. Gan nad oeddwn i'n bwyta cig, mi fyddwn i'n cael rhyw gymysgedd llawn cnau, sef yr hyn a gawn yn nhŷ fy rhieni bob tro y byddwn yn bwyta yno, haf neu aeaf. Mi fyddai fy mam yn tueddu i gymryd y ffaith nad oeddwn i'n bwyta ei thwrci braidd yn bersonol.

"Brysur rŵan, Ennyd?"

"Nac ydw, mae'n Ddolig."

"Na – y busnes yn gyffredinol, dwi'n feddwl."

"Does 'na'm prinder platia."

Doedd ganddyn nhw mo'r syniad lleiaf be ro'n i'n ei wneud. "Yn y busnes crochenwaith mae'r ferch," fyddan nhw'n ddeud wrth bobl; roedd o'n swnio'n well na bod yr hogan yn paentio platiau. Rhygnu yn ei blaen yn herciog wnaeth y sgwrs.

Ond ymhen hir â hwyr, byddai'r ddefod flynyddol yn dod i ben a byddwn yn rhoi ochenaid o ryddhad – nes y cofiai fy nhad am y cracyrs. Does gen i ddim byd yn erbyn arferion Nadoligaidd Fictorianaidd, dim ond eu bod nhw'n gweithio orau efo criw mawr o bobl mewn parti, a rheini'n feddw dwll. Bryd hynny, mae gwisgo coronau papur yn hwyl a hyd yn oed y jôcs yn dod â gwên, ond da chi, gochelwch rhag eu defnyddio mewn cwmni o dri, a dau o'r rheini'n ddirwestwyr. Ers sawl blwyddyn bellach, ro'n i wedi amau mai dyna'r unig reswm pam y cawn fy ngwadd i ginio Dolig at fy rhieni – er mwyn rhoi esgus iddyn nhw dynnu'r cracyrs. Chwarae teg iddo, roedd fy nhad yn eitha giamstar ar y gêm – mi fydda fo'n gwneud yn siŵr ei fod yn gafael yn gadarn yn y stribyn brown ac mi fyddai ei gracyr o bob tro yn clecian.

Rhoddodd yr het frau ar ei ben a darllen y papur: "Be 'dach chi'n ei gael wrth groesi eliffant a changarŵ?"

Ia, 'dan ni'n gwybod – tyllau mawr ar draws

Awstralia. Mi gawson ni honno llynedd. I arbed embaras, mi dreulion ni ddau funud yn dyfalu beth oedd y siâp plastig oedd yn llechu yng ngweddillion y papur. Y pethau cwbl ddiwerth rheini sy'n aros ger y tecell am chwe mis 'rhag ofn y daw'r hen blantos heibio'. Pan fyddai'r hen blantos yn dod heibio, roedd ganddyn nhw bethau llawer difyrrach i chwarae efo nhw na gweddillion cracyrs. Yn y diwedd, ar ôl gwledda ar y Mintys Wedi Cinio, mi fyddai'r cinio yn swyddogol ar ben.

Mam a minna fyddai'n golchi llestri ar ôl cinio Dolig tra byddai 'Nhad yn cysgu'n ei gadair. Yr un fath fyddai sgwrs Mam bob tro – pitio bod fy chwaer a minna wedi gadael y nyth a beth ddeuai ohonon ni gyd, a Pham Mae Eira'n Wyn? a 'ballu. Rhyw fwydro dan fy ngwynt fyddwn i ar adegau fel hyn, yn canolbwyntio'n llwyr ar sychu clustiau'r cwpanau te yn drylwyr iawn a gwneud siŵr fod y ffyrc yn sgleinio. Gwyddwn o'r gorau mai'r hyn oedd yn llechu tu ôl i'r sgwrs oedd y cwestiwn oesol pigog, 'Pryd ydach CHI'N meddwl priodi?'

Fyddai fy mam byth yn mynd mor bell â rhoi ffurf eiriol i'r cwestiwn, dim ond stwna o'i gwmpas fel gwenyn rownd jam. Ers i mi fod yn ddeg ar hugain roedd hi'n poeni 'mod i'n ddigymar, ac roedd hynna fel tasa fo'n Bechod yng Ngolwg Cymdeithas. Roedd Dyddgu wedi priodi fel person normal a bellach efo llond y tŷ o blant. Nid Mam oedd yr unig un i bryderu 'chwaith. Pryd bynnag y byddwn i'n gwisgo modrwy ar drydydd bys fy llaw chwith, byddai wynebau pobl yn goleuo fel taswn i wedi f'achub o ryw dynged erchyll, ac yna byddai'n rhaid i mi eu siomi. Roedd Pill a mi wedi sôn fwy nag unwaith y basan ni'n priodi am hwyl – jest er mwyn cael ufflon o barti a lot o bresantau. Tasan nhw'n bresantau gwerth eu cael, falle y bydden ni wedi ystyried y peth o ddifri, ond pa demtasiwn ydi priodas pan mai pâr o gynfasau neu set o sosbenni ydi'r wobr?

"Dydach chi ddim yn teimlo'n unig ar eich pen eich hun?"

"Dwi'n berffaith hapus, Mam. A deud y gwir, dwi'n mynd adra rŵan."

"Rŵan?" meddai hi, fel taswn i wedi datgan

14

'mod i am chwythu bom. "Ond newydd gyrraedd ydach chi. Dydan ni ddim wedi eistedd o flaen tân eto."

Ro'n i wedi anghofio am y busnas o Eistedd o Flaen Tân. Dyna oedd Dolig yn nhŷ fy rhieni. Yn blentyn, roedd o'n gyfle i'r teulu ddod ynghyd, yn neiniau a theidiau, modrabedd sengl a rhyw gefndar-yng-nghyfraith unig. Roedd o'n siawns, hefyd, i glywed pwy oedd wedi marw, briodi neu babi pwy oedd ar y ffordd. Ond efo jest 'nhad a mam a fi, roedd hi'n ddefod gwbl ddiwerth. Y Dolig hwn mi fentrais i bechu'r Sanhedrin drwy ddweud na fyddwn i'n Eistedd o Flaen Tân y pnawn hwnnw. O aros, fi fyddai'r unig un ymwybodol o flaen y tân p'run bynnag. Mi fyddai 'Nhad yn ei gadair yn pendwmpian ac mi fyddai Mam yn aros yn y gegin i stwna. O rostio'n ddiymadferth drwy'r pnawn, fyddai waeth i mi wneud hynny yn niddosrwydd fy nghartref fy hun.

I ffwrdd â fi felly, fel cyw deryn wedi ei adael o'r nyth am y tro cynta. Roedd cael dianc o ddiflastod tŷ fy rhieni yn gystal anrheg Dolig â'r un. Cyn pen dim ro'n i ar garreg drws Cors.

Agorodd y drws a fan'no roedd Pill yn sefyll. Ar wahân i'w aeiliau yn codi rhyw fymryn, ddaru ei ystum o newid dim.

"Helô, Pill. Wyt ti isio cwmni?"

"Mae Her yma."

"Oes gen ti le i un arall?"

Roedd tŷ Pill yn gwbl wahanol i dŷ pawb arall. Nid tŷ mohono yn gymaint â gwâl. Roedd o'n lle tu hwnt o glyd ar yr amod eich bod yn lapio eich hun mewn blanced neu gwilt ac yn ffurfio'n gylch o amgylch y tân. Heb unrhyw amddiffynfa o'r fath, mi gaech y drafft mwya dychrynllyd ar waelod eich cefn, ac mi fyddech yn dioddef am ddyddiau. Un tro, mi ddaeth ffrindiau Pill a soffa iddo oddi ar Doman Byd, ond mi gadwodd Pill y clustogau a defnyddio'r pren fel coed tân. Ddaru neb drafferthu Pill efo dodrefn wedi hynny.

Dwi'n meddwl mai 'gwahanol' ydi'r gair gorau i ddisgrifio'r ymborth gawson ni hefyd. Ro'n i wedi dod â gweddillion y dorth gnau efo mi, ond edrychodd Pill arni mewn dirmyg llwyr. Bu bron i mi ddweud na allai cardotwyr fforddio'r fath ddirmyg, ond roedd Pill yn berffaith hapus efo'i *turkey chunks*. Chwarae teg i Her, mi ddaeth â llond ei chôl o fins-peis a siocled a gwin, a chyn pen dim roedden ni mor ddiddos â thri chyw bach mewn nyth.

Hel atgofion fuon ni rownd y tân – Pill a Her a minna. Roedd y gwin yn llifo a'r mins-peis yn prysur ddiflannu pan ddaeth yna andros o glec oedd yn ddigon i'n byddaru. Ar y dechrau, mi 'ddyliais fod rhywun wedi'n saethu, ond wrth i garreg fawr bowlio ar yr aelwyd o'r simdde, fe sylweddolais fod pethau'n fwy difrifol. Llanwyd y stafell â mwg, a tasa gan Pill ffôn mi fydden ni wedi ffonio'r injan dân. Yn niffyg gwasanaeth modern o'r fath, aeth Pill i lenwi pwcedaid o ddŵr a'i luchio ar y tân. Dyna pryd y llawn sylweddolais ddifrifoldeb y sefyllfa. Heb dân yn nhŷ Pill, mi fyddai'r tri ohonom yn rhewi i farwolaeth. Roeddan ni i gyd wedi yfed gormod i yrru, felly doedd dim dewis ond aros yn y rhewgell.

"Un gwely sgin i," oedd ateb Pill pan ofynnon ni am lety.

Diwedd y stori oedd i'r tri ohonom wasgu efo'n gilydd i'r un gwely hwnnw. Doedd gwely

Pill ddim 'run fath â phawb arall chwaith: matres fawr heb goesau yng nghanol y stafell wely oedd o. Ges i ddigon ar y trefniant ar ôl pum munud o chwyrnu Pill, ac ymfudais i ben arall y gwely. Cododd Pill ei ben ac edrych arnaf i wrth ei draed.

"Tasat ti yma neithiwr, mi fasat ti wedi cael cadw cwmni i fy hosan i," medda fo.

"Dwyt ti ddim yn dal i roi hosan wrth droed y gwely?" gofynnodd Her yn wamal.

"Jest rhag ofn," meddai Pill a ryw dinc digalon yn ei lais. "Wyddost ti byth... Dwi'n rhoi tanjarîn yn ei gwaelod hi rhag ofn y bydd hi'n gwbl wag yn bora."

"Ac oedd 'na rwbath arall i gadw cwmni i'r tanjarîn yn bora?" gofynnais.

"Troed," atebodd Pill, "ac yn sownd yn y droed, roedd 'na goes, ac yn sownd yn y goes roedd y ferch fwya ffantastig welais i yn fy mywyd. Tylwyth Teg Santa Clôs oedd hi ac mi addawodd y bydda 'na ddwy hogan yn rhannu fy ngwely i erbyn y noson wedyn..."

Yn sŵn mwydro Pill yr aethom i gysgu y noson honno.

Ond ni fu hynny'n hir. Mi ddeffrois ymhen

18

dipyn yn meddwl mai'r oerfel oedd wedi fy neffro i a bod fy nghorun wedi troi yn dalp o rew. Syllais ar y to tamp a meddwl mor annibynnol oedd Pill, yn mynnu byw dan yr amgylchiadau yma yn hytrach na mynd ar ofyn rhywun.

Cofio wedyn yr adeg honno pan gymron nhw Pill i mewn, a Her yn fy ffonio i dorri'r newydd. Fedrwn i ddim credu'r peth. Pill o bawb, na fyddai'n brifo chwanan.

– Mae o'n swnio'n ddifrifol… ddoi di lawr i Swyddfa'r Heddlu?

– Ar f'union…

Ac yno yr aethom i glywed y newydd fod Ianto Geubwll wedi ei gymryd i mewn hefyd ac roedd 'na flas od iawn ar y cyfan. Safon ni tu allan i swyddfa'r heddlu am ddiwrnod cyfan nes y cymeron nhw rywun arall o ochrau Rhyl, a'r peth nesa, cyrhaeddodd car heddlu a daeth John Rong allan ohono. A deud y gwir, doedd o'n syndod o gwbl ei fod o wedi cael ei gymryd i mewn. Roedd hi'n dipyn o feirniadaeth ar system gyfiawnder y wlad fod John Rong yn dal a'i draed yn rhydd. Ond twyll a chyffuriau oedd ei adran o; roedd ei gyhuddo o drosedd wleidyddol fatha dwyn y Pab gerbron ei well am buteinio.

Mi fuo 'na achos mawr yng Nghaer Saint yn Llys y Goron a'r oriel gyhoeddus yn llawn bob dydd i'r ymylon. Yn diwedd mi gafodd John Rong a'r dyn o Rhyl eu dyfarnu'n ddieuog, cafodd Pill flwyddyn o garchar ac mae Ianto Geubwll yn dal i mewn. Fasa waeth i Ianto fod wedi marw am hynny o sylw 'dan ni'n gymryd ohono fel cenedl. Mi gaiff o'i ryddhau ymhen ryw bum mlynedd arall a fydd neb yn cofio pwy fydd o. Mi fydd yn cerdded o gwmpas y wlad fel Lasarus wedi codi o farw'n fyw.

Ddalltodd neb be ddaru Pill o'i le i haeddu blwyddyn yn Walton. Fuo fo 'rioed mor amlwg â hynny ym mhrotestiadau'r Gymdeithas – dim ond yno fatha angor yn dal placard, neu faner, neu blismon, neu dun paent – neu beth bynnag oedd angen cael ei ddal. Roedd 'na sôn dirgel iddo fod yn y lle anghywir ar yr amser anghywir, ond mae'n siŵr fod hynny'n wir am bob un ohonom. Gafodd unrhyw un ohonom ein geni ar yr amser iawn? Dyma ni, yn hwylio'n braf i'r

20

Trydydd Mileniwn, a'n traed ni mor gaeth ag erioed.

Fan'no roeddwn i ar wastad fy nghefn yn dyfalu p'run fyddai'r oes orau i gael fy ngeni iddi pan glywais i grafu dyfal yn y pellter. Roedd o'n grafu cyson, prysur, ac mae'n rhaid 'mod i wedi disgyn yn ôl i drwmgwsg. Achos dyna lle'r oeddan ni, Pill a Malan a Her a minna, heb sôn am Seibar a Giaff a'r criw i gyd. Roedden ni wedi cloddio twll mawr i ddod â Ianto Geubwll yn rhydd ac roeddan ni'n dal ati i grafu drwy ryw dwnnel mawr i ryddid. Pan ddeffrois i am yr eildro, roedd y criw wedi ein gadael, ac ro'n i yn y gwely, ond roedd y sŵn crafu i'w glywed mor ddyfal ag erioed. Rois i gic hegar i 'sennau Pill.

"Mae 'na rywun yn ceisio cloddio ei ffordd drwy'r wal," eglurais.

Rhywle o berfeddion anialdir Cwsg, atebodd Pill, "Dim ond Jerry sydd 'na."

"Gerry Adams?" gofynnodd Her, yn amlwg mor effro â'r gog. Roedd gan Her feddwl y byd o'r Gwyddel barfog. Ro'n i wedi drysu'n lân erbyn hyn.

"Ll'godan ydi Jerry," meddai Pill, cyn troi

ar ei gefn a dwyn holl gynhesrwydd dillad y gwely gydag o.

Yn hofran rhwng arswyd ac ing, mi gofiais yn sydyn fod Pill yn berchen llygoden ddof. Mae'n amlwg ei bod hi'n cael tramwyo'r tŷ yn ddilyffethair.

Wedi meddwl, roedd presenoldeb llygoden yn egluro llawer o'r hyn a welais mewn gwahanol gilfachau o'r tŷ. Wrth gwrs, Pill fyddai'r olaf i gadw unrhyw beth mewn cawell wedi'r hyn y bu o drwyddo. Mi fyddai clamp o gawell yn atgof rhy amlwg o Walton.

"Wfft i hyn," meddai Her yn sydyn. "Dydw i ddim wedi cysgu winc drwy'r nos."

"Wyt ti'n ddigon sobor i ddreifio?"

"Nac ydw, ond os arhosa i yn fan hyn, mi fydda i wedi marw o heipothermia."

"Mi fasa Jerry'n cael gwledd ar dy ymysgaroedd."

Fedrwn i ddim penderfynu p'run oedd y dynged waethaf – crash mewn car efo Her wrth y llyw, neu rhewi'n gorn a chael llygoden yn fy mwyta.

Cododd Her a chamu'n heglog dros gorff Pill. Falla ei fod o wedi rhewi eisoes. Roedd o wedi rhoi'r gorau i chwyrnu p'run bynnag.

Aethom i lawr grisiau a chofio nad oedd modd cynnau tân a'r simdde fel ag yr oedd hi. Ceisiodd Her danio ryw wresogydd nwy amheus yr olwg gydag arogl mwy amheus fyth. Ond roedd unrhyw beth yn well na rhewi ar fatres Pill yn gwrando ar antics llygoden.

Doedd yna ddim i'w fwyta ar wahân i fag o *marshmallows*, ac mi gofiais mai dyna oedd hoff fwyd Pill. Mi fwytasom bob un wan jac. Naill ai oherwydd blinder eithafol neu oherwydd yr oglau gwenwynig yn y stafell fyw, fe drechwyd y ddwy ohonom gan nwy neu farwolaeth yn y diwedd, achos dwi ddim yn cofio dim rhagor o'r hyn ddigwyddodd y diwrnod hwnnw.

26 Rhagfyr

Mae'n rhaid nad oedd y nwy na marwolaeth mor farwol â hynny, achos er mawr syndod i mi fy hun, fe ddeffrois y bore wedyn. Dal yn y fantol oedd tynged Her. Agorais fy llygaid i weld Pill yn eistedd ynghanol y lludw efo paned yn un law a smôc yn y llall.

"Dydd San Steffan hapus," meddwn i'n gysglyd.

Ddaru Pill ddim ateb. Roedd o'n edrych ar y bag *marshmallows* gwag fel petai eu bwyta yn ei absenoldeb wedi bod yn weithred o frad.

"Os mai Steffan oedd y merthyr cynta, ti'n bendant ydi'r ail," meddwn i cyn ychwanegu – "Mi bryna i fag arall iti."

Roedd Pill yn ei fyd bach ei hun.

"Roedd Steffan yn aelod o Gymdeithas yr Iaith Roegaidd," meddai. "Iddew Groegaidd oedd o, ac mi dynnodd bawb yn ei ben am ei fod o'n mynnu amddiffyn hawliau siaradwyr Groegaidd. Dyna pam gafodd o 'i gyhuddo o gablu yn erbyn cyfraith Moses."

"A dyna pam lladdwyd o?"

"Ia – efo cerrig. Uffar o ffordd i farw – cael dy bledu efo cerrig."

"Waeth i ti hynna ddim," meddwn i, yn trio bod yn galed. "Efo be hoffet ti gael dy bledu?"

"Marshmallows."

Roedd y syniad o Pill mewn coban Roegaidd yn cael ei bledu gan *marshmallows* yn un ddaeth â gwên i 'ngwep.

"Ty'd â phanad i ni'n dwy ac mi awn ni," meddwn i.

"Ei di ddim i nunlle efo dy *chauffeur* di yn y stâd yna."

"Ga i fynd i rywle lecia i – fi ydi'r *chauffeur.*"

Edrychais ar Her yn un pentwr blêr, diymadferth ar y llawr a'i gwallt pigog fel draenog bach yn pendwmpian. Sut gebyst oedd hi'n gallu edrych yn dlws dan y fath amgylchiadau? Roedd ei hwyneb yn annodweddiadol lonydd dan effaith cwsg, a'r perl bach yn ei thrwyn yn sgleinio. Mi fyddai eisiau dipyn go lew o gaffîn i'w deffro hi.

Holais Pill am ei ardd ac aeth o â mi allan i'r cefn i'w gweld. Wrth i mi fentro i'r awyr iach, mi ges i sioc pa mor iach oedd yr awyr.

Er bod yna iâs ynddi, roedd haul noeth Rhagfyr yn pryfocio'r cymylau. Hyd yn oedd yn nhwll y gaeaf, roedd yna fendith i'w chael yng ngardd Pill. Gardd breifat iawn ydoedd heb fod ganddi unrhyw awydd i ddangos ei hun i neb. Y peth gorau amdani oedd nad oedd amser yn bod yno. O feddwl am y peth, roedd hynny'n wir am Cors yn ei gyfanrwydd; mi fyddai watsys yn stopio yno. Roedd dwy ffordd o fesur dyddiau dyn ar y ddaear – dull Greenwich, a dull Pill.

O amgylch yr hances boced o wair, roedd cerrig lan môr wedi eu gosod yn gymysg â chregyn. Hwnt ac yma, roedd pethau fyddai'r rhan fwyaf o bobl yn eu galw yn sbwriel – darnau o haearn a sbrings gwely wedi rhydu, briciau a hen ddarnau o goed wedi pydru. Byddai'r pethau hyn yn cael eu defnyddio dros dro gan ddynoliaeth, ond byddent yn treulio tragwyddoldeb yng ngardd Pill. Rhyw nefoedd i 'nialwch oedd hi.

Arbenigedd Pill oedd tyfu chwyn. Wrth iddynt dyfu dros y siapiau gwahanol, byddent yn ffurfio'r tyfiant mwya diddorol. Mewn patsyn arall tu ôl i'r bin, roedd letys a phob

26

math o berlysiau yn cael eu tyfu, ac am wn i mai ar hyn roedd Pill yn byw. Roedd o'n tyfu popeth, heblaw am ganabis (a doedd hynny ond am iddo gael ei ddal). I gadw rhagor o bobl fusneslyd draw, roedd plismon clai yn gwarchod y cyfan. Bob tro y cawn fynd i'r ardd, roedd rhyw ryfeddod newydd i'w weld. Fyddwn i byth yn gweld Pill yn gweithio ynddi 'chwaith. Dwi'm yn meddwl ei fod o'n berchen offer garddio ar wahân i hen gyllell a rhaw fechan, ond roedd ganddo'r ddawn â'i fysedd i ddenu natur ato. Meddyliwn amdano fel telynor yn tynnu ei dannau, ac wrth wrando, byddai planhigion yn ymestyn allan o'r pridd dim ond i glywed ei gân.

Ddaru Her ddim deffro tan oedd hi'n hanner dydd ac erbyn hynny doedd dim llwchyn o goffi ar ôl. Roedd Pill a minna wedi mwydro cymaint fel nad oedd dim ar ôl yn y byd i fwydro yn ei gylch, ac roedden ni'n eistedd ar y llawr yn syllu ar ddim byd. Wel, doedd hynny ddim yn gwbl wir. Ro'n i'n sbio ar bry cop heglog yn camu'n ddyfal tua'r fan lle gorweddai Her. Cododd ei hun yn gwbl ddi-ymdrech ar ei ffêr a cherdded ar hyd ei choesau. Brasgamodd dros ei thin ac ar hyd ei asgwrn cefn. Oedodd pan welodd y pen draenog, cafodd banig, trodd i'r chwith, i lawr ei hysgwydd ac yn ôl ar y llawr. Mi fyddai Her wedi sgrechian tasa hi'n gwybod.

Yn y diwedd, fe godwyd ei chorff fel tasa fo'n cael ei reoli gan bypedwr oddi uchod, a'r funud y cynheuwyd ei llygaid, daeth ei hwyneb yn fyw.

"Dwi isio mynd i 'Werddon," meddai'r geg yn fecanyddol.

Doedd hyn ddim yn arwydd da. I rai pobl, y ddiod yw eu dihangfa, i eraill, gwleidyddiaeth ydyw; i eraill wedyn, cyffuriau, i ambell un, crefydd. I Her, Iwerddon ydoedd. I Her, Iwerddon oedd ei diod, ei chyffur a'i chrefydd.

"Fedri di ddim mynd, mae'n Ŵyl San Steffan."

"Stwffio Steffan."

Ac yn wir, fel 'na roedden ni gyd yn teimlo. Do'n i ddim yn cofio pa mor *boring* oedd y dydd dan sylw yn gallu bod. Dwi'n amau ei fod o wedi ei gynllunio fel y dydd mwya *boring* o'r flwyddyn, dim ond i wneud i Dolig ymddangos yn gynhyrfus. Roedd Pill yn rhyw biffian chwerthin.

"Stan Steffan – ti'n cofio hwnnw?"

"Nac ydw."

"Dei Shwmai – pan oedd o'n dysgu Cymraeg. Roedd o'n trio dilyn Newyddion Saith, ac yn meddwl mai gohebydd y BBC yn Llundain oedd Stan Steffan."

"Dei Shwmai – a 'drycha lle mae o rŵan."

"Ia – gohebydd Cymraeg y BBC yn Llundain."

Rhyfedd o fyd.

"Pwy ddaw efo fi i Werddon?" gofynnodd y llais trist eto.

"Awn ni fory," meddwn inna, i gau ei cheg hi. "Dwi am fynd am dro."

Ro'n i wedi cael digon ar dywyllwch tamp tŷ Pill. Roedd bod yn yr ardd wedi codi'r awydd arnaf i fynd i gerdded. "Rywun isio dod am dro?"

"Awn ni am dro i Iwerddon," meddai'r record wedi sticio.

Radeg yna y gwelais i hi – yn ei holl odidowgrwydd ll'godanaidd – neb llai na Jerry. Fferrais yn y fan ac mi sylwodd hitha arnaf i. Am eiliad, dyma'r ddwy ohonom yn rhythu ar ein gilydd nes i Pill sylwi fod rhywbeth yn bod. Cododd, a gafael ynddi a'i mwytho.

"Dydi hi 'mond 'run fath â chdi a mi – isio 'chydig o sylw a mwythau."

Roedd hynny'n ddigon i Her. Diflannodd pob ysfa i fynd i'r Ynys Werdd; y flaenoriaeth oedd gadael tŷ Pill gynted â phosib. Welwn i ddim bai arni. A synnwn i damaid fod yr anifail yn ystryw gan Pill i gael gwared o'i ymwelwyr pan oedd o wedi cael digon arnynt.

I Bryn Melyn yr aethom am dro, ac roedd hi'n braf llenwi'r ysgyfaint efo awyr iach a meddwi'r pen efo golygfeydd ysblennydd. Roedd hi'n ddiawchedig o oer, ond pris bach iawn i'w dalu oedd hwnnw. Doedd y ffaith mai siocledi a thost gawsom ni yn gyfuniad o frecwast a chinio ddim wedi cynhesu rhyw lawer arnom, er bod aros yn Cors wedi bod yn ymarfer da ar gyfer y tymheredd arctig.

"Braf ydi cael bod yn rhydd 'te?" meddwn i.

"Be? – o grafangau'r job hectig naw tan bump yn y swyddfa ar y degfed llawr 'na sydd gen ti?" gofynnodd Her yn wamal.

"Mi wyddost be dwi'n feddwl."

Doedd Her na minna 'rioed wedi gorfod cadw'n gaeth i unrhyw fath o oriau gwaith. Gweithio yn y crochendy fisitors Pat a Pot wnai Her yn yr haf, gan wneud ei stwff ei hun yn y gaeaf. Is-gontractio'r gwaith paentio platiau i mi fyddai hi.

"Bugeiles hoffwn i fod," meddwn i, "mewn cwt bach ar ben mynydd yn gwylio defaid drwy'r dydd."

"Fasat ti wedi saethu dy hun mewn diflastod, yr hen Bô-Pîp wirion," meddai Pill.

Ac mae'n siŵr ei fod o'n iawn, ond mi geisais i amddiffyn fy safbwynt: "O leia, mi fasa hynny'n well na bod yn fiwrocrat mewn swyddfa yn gwthio papur."

"Yn bersonol, wela i fawr o wahaniaeth rhwng gwthio gwlân a gwthio geiriau."

"Mae gen ti well siawns o ddyrchafiad yn gwthio geiriau."

Dyrchafiad – dyna oedd yr echel ar yr hon roedd popeth yn troi. Dim ond i chi ddal 'dyrchafiad' o flaen eu trwynau fel moronen, a byddai'r rhan fwyaf o bobl yn fodlon gwneud unrhyw beth.

"Fasa job yn braf, heb sôn am ddyrchafiad," meddai Pill.

Erbyn hynny, roeddan ni wedi mynd gryn bellter, ac wrth inni gerdded dros Clogwyn Bach, gwelsom yr Wyddfa yn ei holl ogoniant. Dwi wedi meddwl am yr Wyddfa erioed fel mynydd urddasol. Mynydd sy'n fodlon ar ei le. Fatha mai fo oedd y cyntaf i gael ei osod yno, a bod Duw wedi codi'r gweddill yn gefndir iddo. Mi fentra i ei fod wedi treulio mwy o amser nag arfer yn ffurfio'r Wyddfa, yn gosod dwy ysgwydd gain fyddai ar eu gorau dan orchudd o eira. Mi gafodd o andros o hwyl efo'r lleoliad hefyd – mynyddoedd cadarn ar bob ochr, er yn ddigon distadl i arwain y llygaid i gopa'r Wyddfa. Mi sicrhaodd hefyd y byddai'r haul yn ei arddangos ar ei orau ym mha bynnag safle y byddai, ac y byddai pwy bynnag a edrychai ar y cyfan yn syrthio mewn cariad yn syth ag o.

Ro'n i eisiau rhannu'r meddyliau hyn efo Pill a Her ond rywsut doedd dim rhaid. Roedd eu tawedogrwydd yn dyst i'r ffaith eu bod hwytha hefyd wedi dod dan ddylanwad yr un swyn.

"Tasat ti'n talu i mi, faswn i ddim yn byw yn unman arall," meddai Pill, ac mi barodd hynny i mi feddwl. Digon posib y byddai Pill yn llwyddo i gael tŷ gwell – llai tamp, ar rent, neu ar delerau arbennig gan y cyngor, lawr yng Nghaer Saint neu yn bellach. Ond fyddai'r olygfa hon ddim yn ei ardd gefn o wedyn, o fewn ryw ddeng munud o gerdded – fyddai ganddo fo ddim gardd, ac mi fyddai'n well gan Pill bydru byw mewn stabal yn ymyl fan hyn na chael ei wahanu oddi wrth ei ardd a'r prydferthwch yma. Roeddan ni'n edrych ar gyfoeth go iawn Pill yn y fan hyn. Dyma'r hyn roedd o'n ei drysori uwchlaw popeth arall.

"Fedran nhw byth ei gymryd o oddi arnon ni 'chwaith, na fedran?" meddai Her. "Dim ots be wnawn nhw, mi fydd hwn gynnon ni am byth bythoedd."

"A does dim isio ffurflen i gael caniatâd i edrych arno. Ti'n dod yma'n aml, 'dwyt Pill?"

"Bob dydd... a weithia'n y nos."

Trodd Her a minna i edrych arno.

"Be weli di 'radag honno?"

"Sêr a lleuad a siapiau'r mynyddoedd yn chwarae efo'r nos."

"Gad i mi ddod hefo ti rywbryd i weld hynny," awgrymais.

"Mae o'n gneud y petha rhyfedda i dy ben di."

"Dim rhyfeddach na'r petha rwyt ti yn eu smocio."

"Synnet ti."

"Ddown ni yma nos fory," cynigiodd Her.

"Gad hi tan nos Wener," meddwn i, yn cael gweledigaeth. "Fedra i ddim meddwl am ragorach lle i fod ynddo ar Nos Galan. Dychmyga groesawu gwawr y mileniwm newydd ar ben yr Wyddfa."

"Fedra i feddwl am syniadau y bydda 'nghorff i yn eu gwerthfawrogi fwy," meddai Her.

"Aros di'n gwaelod efo fflasg 'ta," meddai Pill efo winc.

Roedd y syniad o Her yn disgwyl amdanon ni'n unman efo fflasg yn un gwbl abswrd. Roeddwn i wrth fy modd efo gwallgofrwydd y cynllun ac eisoes yn edrych ymlaen. Fe'm cadwodd yn gynnes ar hyd y ffordd adref.

Ro'n i'n falch o gyrraedd fy nhŷ bach fy hun y noson honno. Roedd Her am i mi fynd i aros ati hi, ond dyna oedd drwg Her – yn ogystal â'i chryfder pennaf – wyddai hi ddim pryd i stopio mwynhau. Ddeudais i wrthi am fynd adref i sobri neu i fwrw ei blinder ac mi gwelwn i hi drannoeth. Roedd rhaid inni ymweld â'n cartrefi o bryd i'w gilydd, neu doedd diben eu cael.

A deud y gwir, doedd Her ddim yn gweld fawr o ddiben cael cartref i un. Roedd hi wedi ceisio 'mherswadio sawl tro i fynd i fyw ati hi a Giaff a Seibar a'r gweddill. Roedd hi'n methu deall neb yn byw ac yn cysgu ar ei phen ei hun o ddewis. Ond hyn a hyn o gwmni eraill y gallwn i ei gymryd, felly mi drois tuag adref.

Wrth i mi gyrraedd y tŷ, roedd hi'n nosi a'r gwyddau yn hedfan gyda'i gilydd tua'r machlud. Mwy na thebyg mai gwylanod oedden nhw, ond ro'n i'n cael llond fy mol o wylanod weithiau ac yn cymryd arnaf eu bod yn adar rheitiach. Am ryw reswm anesboniadwy, roedd gwyddau yn yr awyr yn bethau llawer mwy barddol.

Edrychiad ddigon od ges i gan Sguthan pan ddois i drwy'r drws. Mi fyddai hi'n llwyddo i edrych arnaf yn union fel yr arferai Miss Preis Rysgol Sul ei wneud, gyda chymysgedd o ddirmyg a diffyg diddordeb. Doedd dim tamaid o ots gen i – petai hi'n fodlon gwisgo tennyn am ei gwddf, mi fyddwn i'n mynd â hi i bobman. Ond bod digon disymud oedd Sguthan. Fyddai hi ddim yn gweld dim o'i le ar wario diwrnod cyfan ar soffa. Llawn cystal na ddaeth hi hefo mi. Mi fyddai bywyd Jerry druan wedi dod i ben yn reit ddisymwth.

Mi wnes i baned i mi fy hun a thamaid o dost, ac wedyn cynnau tân a sodro fy hun o'i flaen. Cadw ei phellter ddaru mei-ledi i ddangos ei bod hi'n berffaith hapus efo'i chwmni ei hun. Doedd waeth gen i, doedd gen i ddim hoffter arbennig o gathod. Nid fi ddewisodd ei chael hi yma. Malan ddaeth o hyd i dair neu bedair a methu eu boddi nhw, a mi fûm i'n ddigon gwirion i dosturio wrthi. O gael anifail anwes, mi fyddai'n llawer gwell gen i gael parot lliwgar neu jimpansî. O gael yr olaf, mi allwn i ei ddysgu i osod tân a

chynnau'r tecell yn barod i'm croesawu adref.
Ar wahân i gadw llygod draw, doedd dim
gwerth ymarferol i gath. Ond o ystyried fy
ofn i o lygod, mae'n siŵr mai Sguthan oedd
y ffrind mwyaf ymarferol oedd gen i.

Daeth ton o fodlonrwydd drosof i wrth i mi
eistedd ar y soffa ar Noswyl San Steffan.
Doedd 'na ddim pwysau gwaith arnaf i, roedd
hi'n Ddolig, roedd hi'n bygwth bwrw eira, ac
roedd cwmnïaeth Her a Pill wedi bod yn
gynnes ac yn glên. Roedd y tŷ yn weddol dwt,
edrychai'r goeden Dolig yn ddel ac ro'n i'n
edrych ymlaen at Nos Galan. Doedd dim yn
waeth na methu gwybod beth i'w wneud ar
Nos Galan, yn enwedig ar drothwy
mileniwm. Dyna pryd ffoniodd Goronwy.

"Ennyd?"

"Ia... Be sy'n bod rŵan 'to?"

"Angen trefnu protest bach sydd."

"Yn erbyn be – Dolig?"

"Naci... sori i fod yn boen."

"Fuost ti 'rioed yn ddim arall, Gron. Lle a
phryd?"

"Wythfed ar hugain – Bangor. Ysgrifennydd
Gwladol."

"Grêt, Gron – jest be dwi isio."

"Allwn ni ddim gadael i'r cyfle fynd. Dwi wedi cysylltu efo'r Wasg. Mae angen eu cyfarfod nhw am hanner awr wedi deg wrth y cloc."

Dyna oedd drwg y diawl. Fedra fo ddim gadael i unrhyw gyfle fynd. Roedd o'n llawer rhy gydwybodol i'r byd yma.

"Does gen i fawr o ddewis, felly."

"Os nad ydi Llafur yn cael gwyliau – pam ddylien ni?"

"Gron – mae hi'n Ddolig – mae'n siŵr mai yno i danio fferi-leits mae'r diawl. 'Dan ni'n mynd i edrych yn boblogaidd iawn yn tarfu ar rwbath felly... Be ydi'r lein?"

"Yr un arferol – cynffonwyr Blair... pam na chawn ni Senedd i Gymru... a ballu..."

"A ballu... Oce – ga i weld be fedra i 'i 'neud. Hwyl."

"Hwyl – a chlust newydd hapus."

Dwi'n meddwl mai ei hiwmor o oedd yn mynd ar fy nerfau i fwya.

Steddais yn ôl ar y soffa yn meddwl be ddiawch ro'n i'n mynd i'w wneud rŵan. Roedd y don bodlonrwydd wedi mynd a theimlwn 'mod i wedi 'ngadael ar draeth anniddigrwydd. Ffoniais Her i roi gwybod iddi. Yn naturiol, aeth hi i fyny'r wal.

"Lle mae hyn yn gadael Iwerddon?"

"Hanner can milltir o Gaergybi – fatha 'rioed."

"Ennyd – wnest ti addo."

"Awn ni ar y nawfed ar hugain."

"Fydd hwnna'r bore ar ôl y briodas."

"Priodas? Fedri di ddim dod i'r brotest felly…"

"Na fedraf."

"Pwy ddiawch sy'n priodi ar y fath ddyddiad?"

"Mae 'na beth brys…"

"Pwy?"

"Iona oedd yn 'rysgol efo fi – a Nedw Plas."

"Nedw Plas yn priodi?"

"Mae pawb yn gneud yn diwadd."

"Ond mae'n rhaid 'i fod o ddwywaith 'i hoed hi."

"Ydi ots?"

"Be os awn ni ar y degfed ar hugain, 'ta?"

"Gaddo?"

"Gaddo."

Dyna 'mai pennaf i – addo, addo, addo. Addo popeth i bawb a difaru wedyn. Dim ond ar ôl dwy alwad ffôn, roedd gen i brotest i'w threfnu a thrip i Iwerddon ar y gweill. Es i'r gwely'n fuan noson honno – cyn i neb arall ffonio.

Wrth i mi ddadwisgo, cefais gip arnaf fy hun yn y drych yn tynnu 'mhais dros fy mhen. Flynyddoedd yn ôl, dwi'n cofio gwneud hynny – gwisgo pais ar fy mhen, ceisio cael y lês i orchuddio fy wyneb, a meddwl sut y byddwn i ar ddydd fy mhriodas. Dyna un peth na ddaru mi 'rioed ei addo – addo fy hun i ddyn ac addo byw gyda fo am weddill fy mywyd.

Edrychais ar y wyneb yn y drych am hir gan adael i'r bais sidanaidd lithro i'r llawr. Roedd yna amser maith ers i mi syllu go iawn arnaf fy hun fel hyn. Gymaint o amser a dreuliwn ers talwm o flaen drych. Poeni am ambell bloryn, poeni os nad oedd fy aeliau main yn union fel ei gilydd. Ceisio gwella'r deunydd crai efo dogn go dda o fascara a mymryn o lipstic – dim ond i gael fy siomi bob tro efo'r canlyniad. Methu deall pam na fedrwn i edrych run fath â'r hogan yn y magasîn. Cwbl ddaru'r rhacsyn cylchgrawn hwnnw oedd dwyn y tipyn hunanhyder oedd gen i. Mwya'n byd dwi'n ei gofio, mwya'n y byd o biti sgen i dros y greadures ddeunaw oed honno.

A phwy wyt ti rŵan, Ennyd Fach, yn tynnu at dy ddeugain oed? Mae fy llygaid yn dal i rythu yn y drych, y llygaid brown sydd mor hoff o chwerthin, y gwallt anwadal sy'n prysur fritho. Dwi'n meddwl mai wyneb diddorol ydi f'un i bellach, wyneb yn dangos cymeriad ac ôl profiad bywyd.

Gad dy gelwydd, Ennyd, mynd yn hen wyt ti, y gloman wirion. Diddorol o ddiawl! Tasat ti'n ddyn, mi fyddat ti'n mynd yn fwy 'diddorol' bob dydd, ond ti'n perthyn i'r rhyw rong. Oni fyddi di'n parhau i liwio'r gwallt yna a dechrau gwneud rhywbeth o ddifri efo dy bryd a'th wedd, mi fyddi'n troi yn un o'r merched roli poli rheini sy'n rowlio ac yn powlio 'mlaen at yr hanner cant.

Dwi ofn edrych yn is na hyn. Mae'r croen yn llacio cymaint o amgylch y gwddf. Ella y byddai'n well i mi geisio peidio troi 'mhen mor aml. Mae'r bronnau 'ma eisoes yn ddeugain – a modfedd neu ddwy yn fwy, synnwn i damaid. Isa'n byd dwi'n mynd, mwya crwn ydw i. Dwi wedi bod yn cysuro fy hun mai merched siâp yma mae dynion yn eu licio mewn gwirionedd. Taswn i'n byw yn yr ail ganrif ar bymtheg, mi fyddai galw mawr amdanaf fel model i artistiaid neu fel testun awen i feirdd.

Dos i dy wely, Ennyd a rho'r gorau i fwydro. Dwi'n gorchuddio 'nghorff â phyjamas ac yn gadael i fy meddwl grwydro nôl i gynhesu wrth dân atgofion. Sam Sullivan o Swydd Corc oedd cariad mawr fy mywyd. Nid fod dim yn bod ar hogia'r ynysoedd hyn, ond does neb yn gallu curo Gwyddelod am ramant.

Tua'r amser yma o'r flwyddyn oedd hi a minna'n trio dianc rhag Dolig ym mhen draw Iwerddon. Her oedd wedi 'mherswadio i fynd efo hi, ond mi gafodd bwl o hiraeth am ei chariad ac mi heglodd yn ôl i Gymru ddiwrnod cyn Dolig. Mi fûm i'n ddigon pengaled i aros, a dwi ddim yn meddwl 'mod i 'rioed wedi teimlo mor unig. Ddaru o ddim gwawrio arnaf i ei bod hi'n gymaint o Ddolig

42

yn Iwerddon ag oedd hi'n unrhyw fan arall, a doedd dim posib dianc rhagddo wrth reswm. Pan es i am dro ddiwrnod Dolig ar fy mhen fy hun, mi oedd pawb arall yn edrych yn hurt arnaf i.

Roedd Sam Sullivan yn treulio llawer o'i amser yn cadw cwmni i'w ffrind oedd yn gweithio ym mar yr *Anchor* yn Ballydehob. Sylwi ar fy acen i wnaeth o gynta.

– Dwyt ti ddim yn dod o'r rhan yma o'r byd.

– Nac ydw. Un o genod Kerry ydw i.

– A be wyt ti'n ei wneud yn fan hyn?

– Arolwg o arferion Calan Gwyddelod Corc.

Mae o'n deud iddo sylwi'n syth mai Cymraes oeddwn i, ond dwi'n dal i amau hynny. Roedd o'n fwy o feistr ar adrodd straeon nag oedd o ar 'nabod acenion.

Wrth iddi dynnu at hanner awr wedi un ar ddeg ar Nos Galan, dyma Sam a'i ffrindiau yn mynnu eu bod yn gwybod am y lle i gael hwyl y noson honno. I mewn â ni i gar hynafol a gyrru fel malwen i'r *Dingles*. Clwb nos unllawr wedi gweld dyddiau gwell oedd y *Dingles*, reit ar lan y môr, ac mae'n rhaid ei fod o'n lle da achos erbyn inni gyrraedd y drws roedd y lle dan ei sang, a doedd neb arall yn cael mynediad. Gyda hanner nos ar ein gwarthaf, mi ruthron ni lawr i'r traeth, gafael yn nwylo'n gilydd i ffurfio cylch a chanu *'Auld Lang Syne'* i gyfeiliant y band yn y gwesty. Wrth i'r criw ddatgymalu, a hitha'n flwyddyn newydd llawn addewid a breuddwydion, daliodd Sam ei afael yn fy llaw. Mi gerddon ni ar hyd y traeth a cholli'r lleill. Yng ngolau'r lloer, sibrydodd linellau hudol yn fy nghlust:

"Where the wave of moonlight glosses
The dim grey sands with light,
Far off by furthest Rossess
We foot it all the night
Weaving olden dances,
Mingling hands and mingling glances..."
"Dy eiriau di?" mentrais ofyn.
"Naci, yn anffodus. Yeats."

Ond i mi, geiriau Sam fyddan nhw am byth, a fedar neb ddwyn hud traeth Inchydooney o'm cof.

Y noson honno, mi gamodd Sam i'm gwely yn ddistaw bach a dwyn fy ngwyryfdod oddi arnaf. Fedra i ddim deud 'mod i'n difaru

44

ronyn, roedd o wedi bod yn faich ddigon trwm i'w gario. O'm hadnabyddiaeth i o ddynion, ro'n i'n disgwyl y bydda fo wedi ei heglu hi erbyn y bore, ond ddaru o ddim. Falle bod hwn yn sbeshial, ond wedi meddwl – yn wahanol i eraill – mi gafodd hwn be oedd o isio. Gorweddodd efo mi am hir, hir yn siarad ac yn caru, yn gymysg ag adrodd Yeats a mwydro 'mhen i efo hanes Iwerddon. Roeddan ni'n teimlo ein bod yn 'nabod ein gilydd ers cyn y Creu.

Wedi hynny, ro'n i'n gyndyn o adael Iwerddon. Roedd gen i ofn bod yr hud a oedd wedi gafael yn Her wedi cydio ynof inna. Mi gefais gwrs dwys yn hanes yr ardal gan Sam. Dangosodd Sam's Cross i mi, a Mickey Collins ei hun fyddai'n peri'r dadlau mwyaf croch rhyngom.

– Bradwr oedd o.

Diflannodd y wên o wyneb Sam.

– Paid byth â'i ddisgrifio fo fel 'na yn fy ngwydd i.

Roedd rhai o'i deulu wedi cael eu lladd yn ystod y Rhyfel Cartref. Does ryfedd fod ei deimladau braidd yn gignoeth. Dysgais yn

45

sydyn bod fy fersiwn i o ddigwyddiadau Iwerddon wedi eu gorchuddio â llen o ramant. Sam ddysgodd i mi fod mwy i Iwerddon na 1916, a bod pethau'n llawer mwy cymhleth a mil gwaith yn fwy chwerw nag a dybiais. Hanes y Chwe Sir oedd fy niddordeb i p'run bynnag, doeddwn i ddim wedi cwrdd â llawer o *'Free Staters'* gwleidyddol. Gwrando ar Sam barodd i mi sylweddoli fod problem ymfudo Iwerddon cynddrwg ag erioed. Wnes i ddim i helpu pethau drwy ei hudo fo i Gymru.

– Un Gwyddel arall yn gadael, meddwn i, wrth edrych yn ôl ar harbwr Dun Laoghaire.

– 'Mond dros dro, medda fo yn reit bendant.

Arhosodd yng Nghymru am ychydig o fisoedd yn dysgu Cymraeg, yn dod i wybod am Gymru ac yn dysgu hanes nad oedd o erioed wedi cael clywed amdano o'r blaen. Wedi iddo fynd yn ôl adref, mi geision ni gadw'r berthynas yn ffrwtian, ond rhyw botsian efo'n gilydd 'dan ni wedi ei wneud ers hynny. Mae'r naill a'r llall ohonom yn licio rhamant y syniad o 'gariad dros y môr', ond rydan ni'n eneidiau rhy hapus a'n traed ormod ar y ddaear i wario llawer o amser yn gofidio. Roedd gan y ddau ohonom fwy o gariad at ein gwlad, beth bynnag, nag at ein gilydd. Faswn i byth wedi symud i Corc er ei fwyn o, a doedd o ddim yn gweld fod dim byd arbennig i'w gadw yng Nghymru.

– Ddim hyd yn oed chdi, medda fo efo winc.

Mi ddois i i'r casgliad bod eisiau cariad go fawr i allu rhannu eich bywyd efo rhywun arall, ac mi rois i ochenaid dawel o ryddhad wedi sylweddoli 'mod i wedi dal gafael ar fy annibynniaeth.

Mi sgwenna i'n amlach ato fo nag y gwnaiff o ataf i. Mi ga i lythyrau byr o dro i dro yn mynegi ei hiraeth ac maen nhw'n gwneud i mi chwerthin. Pa adeg bynnag y gwela i o, 'dan ni'n gallu siarad yn gyfforddus efo'n gilydd heb i ddiflastod dieithrwch ddod rhyngom. Cyhyd ag y bydda i byw, mi fydd gen i le cynnes yn fy nghalon i Sam. Sawl gwaith yr ydw i wedi mynd i gysgu efo'r teimlad yna yn gysur i mi?

27 Rhagfyr

RHAI O BLESERAU CYNTA'R DYDD ydi ail baned amser brecwast, darllen papur, gwylio Sguthan yn molchi, a dyfalu beth sydd gan y diwrnod i'w gynnig. Mae 'na hud yn oriau y bore bach. Yr unig beth oedd yn tarfu ar fy myd oedd cysgod ddannodd. Roedd gen i ddant a'i wraidd yn pydru, ac o bryd i'w gilydd, roedd y boen yn arteithiol. Gwyddwn mai'r ateb oedd mynd i weld y deintydd, ond gwyddwn hefyd mai tynnu'r dant a wnai'r deintydd a rhoi dant gosod i mi. Roedd y syniad o orfod gwisgo dant gosod yn ddigon i mi geisio godde'r ddannodd.

Pan godais i gerdded o gwmpas y tŷ, arweiniodd fy nhraed fi i'r stiwdio. Ro'n i wedi cael dau ddiwrnod segur ac roedd fy nwylo'n ysu am gael creu rhywbeth. Un o'r pethau oedd yn fwy o destun balchder i mi na dim arall oedd y stiwdio fechan yn stafell gefn y tŷ. Dyna lle'r o'n i'n gwneud fy ngwaith paentio i gyd, a munud ro'n i yn y stafell honno, doedd gweddill y byd ddim yn cyfri. Gallwn ymgolli yn llwyr yn y gwaith.

Roedd rhai platiau wedi cael un gôt o baent cyn Dolig ac yn barod i gael eu haddurno. Gwisgais fy ffedog, clymu 'ngwallt, torchi fy llewys a dechrau cynllunio patrymau gyda'r pensiliau lliw. Wedi bodloni ar gynllun, dyma droi ati gyda'r paent a gadael i hwnnw gyfleu'r patrwm. Nôl a 'mlaen, hwnt ac yma, dawnsiodd y brwsh gyda'r paent, a chreu argraff fyddai wastad yn peri syndod i mi. Byddai pob math o ryfeddodau yn ysbrydoliaeth i mi – deilen ar goeden, ehediad aderyn (unrhywbeth 'blaw gwylan), adennydd brau pry, stelcian cath, lliwiau machlud neu arogl gwyddfid. Roedd modd eu dal am eiliad a'u cofnodi am dragwyddoldeb. Tra'n paentio, hoffwn ddyfalu beth fyddai tynged y plât. Llygad pa fath o berson fyddai o'n ei ddenu? Pethau amwys ar y naw i'w dychmygu oedd darpar gwsmeriaid. A fyddai'r plât yn ennyn diddordeb casglwr? Ai anrheg a fyddai i gofio achlysur arbennig? A fyddai'n cymryd ffansi gwraig a gai ei pherswadio i dalu rhai ceiniogau'n ychwanegol am ei geinder? Ai diben ymarferol fyddai iddo? A fyddai'n goroesi'r blynyddoedd a chael ei drosglwyddo o fam i ferch? A gai dagrau eu colli pan fyddai'n syrthio a malu'n deilchion? Roedd plât hyd yn oed yn gallu dal atgofion.

Dwn i ddim sut y cychwynnais i'r miri paentio platiau 'ma. Yn Siliwen oeddan ni a minna wedi gorffen fy nghwrs celf pan ddaeth Her atom ni i letya, ac roedd hi'n dilyn cwrs crochenwaith. Mi ofynnais am gyfle i roi cynnig ar baentio peth o'i chynnyrch, a dyna sut y daethon ni'n ffrindiau. Dyna sut y cychwynnodd y platiau. Ond ers symud i Rhostir, rhaid cyfaddef bod fy nghynnyrch gwreiddiol wedi gwella cryn dipyn.

Do, mi ges i goblyn o hwyl yn nyddiau Siliwen, yn y tŷ tal hwnnw a edrychai dros y Fenai. Mi wnes fy siâr o fyw yn gymunedol a chael blynyddoedd o chwerthin a chariad, ond ddaru'r gwmnïaeth hybu fawr ar fy ysbryd creadigol. Heblaw, falle, am y cyfnod colomennod. Tua dechrau yr wythdegau oedd hi – cyfnod Greenham a'r grŵpiau heddwch, a fedrwn i baentio dim heb fod yna ryw ffurf ar golomen arno. Dyna'r cyfnod ro'n i'n agos iawn at Esra. Fedra i ddim edrych ar golomennod glas rŵan heb gofio Esra.

Tra oedd pawb yn stwna'n ddigyfeiriad ar ôl dyddiau coleg, roedd pethau'n o lew a phawb yn gymharol yn yr un twll. Ond fesul un ac un, mi gafodd y gweddill swyddi a chanfod eu hunain ar risiau gyrfa, a Her a fi oedd yr unig rai nad oedd yn ennill cyflog. Ddaru un neu ddau ddechrau pwyso arnaf i gael cynllun busnes a chynllun pensiwn a chynhyrchu gwaith y byddai siopau yn barod i'w stocio. Yr unig gynllun ges i oedd yr *'Enterprise Allowance'*. 'Radeg honno ges i lond bol. Neu falle mai'r criw gafodd lond bol arnaf i. Roeddan nhw'n gwrthod fy nghymryd o ddifrif gan sôn am 'Ennyd a'i phaentio' fel taswn i'n hogan fach oedd yn mynnu aros adref i chwarae lliwio. Fi oedd yr un oedd yn mynnu dal gafael ar y freuddwyd gan wrthod wynebu'r byd mawr tu allan a gofynion y farchnad. Mi ddaru 'na glefyd ledu drwy'r tŷ wedyn a dechreuodd dau neu dri wisgo siwtiau. Bryd hynny, ro'n i'n gwybod ei bod hi'n amser i mi ddianc.

51

Ar ôl hynny, mi benderfynais mai dim ond ar fy mhen fy hun y byddwn i'n wirioneddol rydd ac yn hapus. Sam oedd yr unig un gafodd ddod o dan fy nghronglwyd ac mi wyddai o pryd i gadw hyd braich. Ol reit, mae 'na adegau pan fydda i'n teimlo'n unig, ond mae yna adegau pan fyddaf mewn cwmni ac yn teimlo'n unig, ac mae'r math hwnnw o unigrwydd yn llawer gwaeth. Mi fyddai'n dda gen i petai cymdeithas yn barotach i dderbyn pobl sy'n byw ar eu pen eu hunain. Rydan ni wastad yn wrthrychau tosturi, yn bobl sydd naill ai wedi colli rhywun, neu heb eu canfod eto. Mae bod yn sengl o ddewis fel gwirfoddoli i gael afiechyd, tra bo pawb arall yn byw mewn arswyd rhagddo.

Edrychodd Sguthan arnaf yn ddiamynedd. Roedd hi wedi clywed y druth hyd syrffed. Nid 'mod i'n un oedd yn siarad yn uchel, ond roedd Sguthan yn gath a fedrai ddarllen meddyliau.

Dyna oedd y peth da efo paentio. Tra'n ddyfal efo 'mrwsh, cai fy meddwl fynd i bob cyfeiriad. Dechreuais hel meddyliau am y brotest a phwy gawn i i ddod, dechrau meddwl am ddiwrnod i'r brenin yn 'Werddon, ond yn fwy na dim ro'n i'n edrych ymlaen at Nos Galan. Roeddan ni wedi cytuno i gyfarfod ein gilydd wrth droed yr Wyddfa am hanner nos. Yna dechrau cerdded efo'r bwriad o weld y wawr o'r copa. Ro'n i wedi cael sawl Calan cofiadwy, ond byddai hwn yn curo'r cyfan. Wrth feddwl am bwy fyddai'n gwneud cwmni da, mi gofiais am Malan a phenderfynu mynd i'w gweld hi yn y pnawn... Ro'n i'n ffrindiau efo Malan ers cyn y gallwn gofio. Mi fasa'n dda tasa Malan yn gallu dod...

Wrth roi clep ar ddrws y tŷ, mi welais i'r dyn drws nesa yn rhoi'r lludw allan. Roedd Ffransis Nymbar Wan yn cerdded mor ofalus at y bin, mi fyddech yn meddwl fod ganddo lwyth mwy gwerthfawr nag un o'r Tri Gŵr Doeth.

"Bore da, Ennyd."

"Bore da, Mr.Ffransis."

"Gawsoch chi Ddolig go lew?"

"Grêt Mr.Ffransis. A chitha?"

"Tawel 'mechan i, digon tawel..."

Wel ia siŵr iawn, a chitha'n byw ar eich

pen eich hun. Faswn i ddim yn disgwyl i chi gael gŵyl wallgo a'r tŷ a'i ben i lawr. Dyn bach cysact oedd Mr.Ffransis efo natur fel llyn llefrith. Gwenais wrth ei ddychmygu o'n hongian o'r nenfwd a llond ei dŷ o rafins hurt yn mwynhau parti. Roedd Mr.Ffransis yn bryderus iawn pan gafodd wybod 'mod i'n dod i fyw i'r stryd...

– Stryd dawel iawn ydi hon, Miss Fach, dydan ni ddim wedi arfer efo sŵn.

Gododd o gymaint o ofn arnaf i fel y 'mod i ofn cynnau'r radio am ddiwrnod neu ddau. Eisteddwn yn y tŷ yn poeni fod tipian y cloc yn rhy uchel. Ond cyn bo hir, daethom i ddeall ein gilydd, a sylweddolodd Ffransis nad oeddwn i mor wyllt â 'ngolwg.

– Wedi cael petha digon od yma o bryd i'w gilydd, medda fo, fel tasa hynny'n rhyw ffurf ar ymddiheuriad.

– Ydw i'n pasio'r prawf 'ta? gofynnais yn hy, a bu raid iddo wenu...

Sgwn i be oedd Ffransis yn ei wneud drwy'r dydd? Mae'n siŵr ei fod o'n gofyn 'run peth amdanaf i. Roedd o'n amheus o bawb oedd ddim yn gadael y tŷ am naw, er i mi fynd i drafferth i egluro iddo nad o'n i'n 'byw ar y sosial'. Welwn i ddim pam oedd ganddo gymaint o wrthwynebiad i hynny 'chwaith. Ei unig ddiddordeb o, hyd y gwelwn i, oedd casglu stampiau.

Ymhen fawr o dro, ro'n i yn nhŷ Malan a Dafydd. Roedd Malan wedi cael babi ers tua blwyddyn ac yn ei chael hi'n anodd i fynd o gwmpas gymaint ag y bu. Fyddwn inna ar fai ddim yn galw i'w gweld ddigon aml. Ond roeddan ni wedi para'n ffrindiau gystal ag erioed. Mi fyddai Malan yn fy helpu i drefnu'r brotest. Roedd rhywbeth abal iawn ynghylch Malan erioed. Tra oedd y gweddill ohonom yn rhyw botsian efo byw, fe wyddai Malan i ble'r oedd yn mynd, a be oedd hi'n ei wneud efo'i bywyd. Fe gyflawnai'r hyn a geisiai. Ro'n i'n nabod Dafydd, yntau ers dyddiau Siliwen. Roeddan nhw wedi enwi'r plentyn yn Job. Enw ddylid ei ynganu efo hirnod ar yr 'o' fel yn enw'r proffwyd oedd o, ond gan fod y babi'n dipyn o lond llaw, buan y galwyd o'n 'Job' neu'n 'Job a Hanner'. Bwndel o fabi a'i ddwylo ym mhobman oedd o. Roedd cadw cath yn gymaint haws.

"Panad?"

"Diolch, Malan."

"Ti'n edrych fel tasat ti wedi cael digon."

"Wedi cael digon ar Ddolig ydw i. Tydi o'n para am byth? Hei – oes gen ti awydd dod i ben Wyddfa Nos Galan?"

Lledodd gwên dros wyneb clên Malan.

"Un arall o dy syniadau gwallgo di..."

"Ddoi di?"

"Efo hwn?"

"Ffeindia rhywun i warchod."

Edrychodd arnaf fel taswn i'n gofyn am wyrth.

"Os na chei di neb, mi gymerwn ni ein twrn i'w gario fo. Mae criw ohonon ni'n mynd. Cyfarfod wrth droed yr Wyddfa am hanner nos."

Cymerodd Malan Job ar ei glin a deud yn y llais mamol arbennig hwnnw, "Fedri di ddim gneud petha felly efo babi".

Mi ddyliwn i gasáu Job. Roedd o wedi stopio Malan rhag gwneud gymaint o bethau ers iddo gael ei eni. Ond fedrwn i yn fy myw a'i gasáu. Roedd o'n werth y byd oedd mor grwn â fo.

"Elli di ddod i Fangor fory?"

"I be?"

"Goronwy'n gofyn inni fynd i haslo'r Ysgrifennydd Gwladol."

Ochenaid gan Malan.

"Mae'n rhaid i rywun fynd – mae o wedi trefnu ein bod ni'n cyfarfod y Wasg am hanner awr wedi deg."

Doedd Malan ddim i weld yn awyddus o gwbl. Dim ond hanner ei sylw oedd ar y sgwrs p'run bynnag, roedd gweddill ei sylw ar be oedd Job yn ei wneud. Felly roedd sgyrsiau Malan rŵan.

"Dwi'n despret, Mali, faswn i ddim yn dy boeni di 'blaw fod gen i ofn mai fi fydd yr unig un yna."

"Ddim dyna sy'n bod."

"Be *sy'n* bod 'ta?"

" 'Run peth ydi o – drosodd a throsodd a throsodd."

" 'Run peth ydi o wedi bod erioed. Dim cwmni adloniant ydan ni."

"Naci, Ennyd. Nid dyna sydd o'i le." Edrychodd arnaf a gadael Job i fod am dipyn. "Ers faint wyt ti'n haslo Ysgrifenyddion

Gwladol?" gofynnodd.

"Dros ugain mlynedd. Rwbath tebyg i ti…"

"Ac i be?"

Sylweddolais fod Malan yn wynebu creisis go iawn.

"Mi drafodwn ni 'I Be?' fory, gad inni gael y brotest drosodd gynta."

"Naci. Mi drafodwn ni' 'I Be?' rŵan i mi gael digon o stumog i fynd i'r brotest."

Ro'n i mewn dyfroedd dyfnion. Doeddwn i ddim wedi paratoi fy hun yn feddyliol ar gyfer hyn. Wrth lwc, mi roddodd Job rywbeth yn ei geg, ac mi fu raid i Malan gropian dan y bwrdd i stwffio ei bysedd i berfeddion ei gorn gwddw.

Mae cynnal dadl tra'n gwneud hynny yn eich rhoi dan anfantais. Yn y diwedd, tynnodd deiar tractor o'i geg. Wn i ddim p'run ai fi 'ta Job oedd yn edrych mwya digalon.

"Mae hi jest yn anodd gweld y pwynt weithie," cyfaddefodd Malan.

"Yr un ydi'r pwynt wedi bod erioed," meddwn i, yn syllu i ddyfnder fy mhaned, "– trio newid y drefn." Pwy oeddwn i i ddweud hyn wrth Malan? Hi oedd wedi dysgu'r gwirioneddau hyn i mi.

"Dydi'r drefn ddim *yn* newid, nac ydi?" Roedd arogl rhyfedd yn dod o gyfeiriad Job rŵan a Malan yn ei wynto fel ci. "Fasat ti a fi'n gallu bod yn naw deg, a chditha'n dal i drio 'mherswadio i ddod ar brotest."

"Doeddwn i ddim wedi edrych ar y peth felly."

"Roedd o'n ddigon drwg protestio'n erbyn y Toris, ond mae hwn…"

Yn hollol. Roedd 'na rywbeth dal yn chwithig mewn lluchio sen ar hen Gomiwnyddion. O diar, roedd Job yn strancio ar lin ei fam a honno'n tynnu'r clwt oddi arno. Llanwyd y stafell â'r drewdod mwya anhygoel.

"Dwi jest yn teimlo nad ydi o werth y drafferth i fynd i Fangor i weiddi arno fo." Roedd hi'n brysur yn llnau'r cachu oddi ar ben-ôl ei mab.

"Tydi o ddim gwerth mwy na'r hyn sydd gen ti yn dy law rŵan, Malan."

Mi fuo raid iddi chwerthin. Roedd casineb Malan at y Komi yn un ffyrnig. Roedd y ddwy ohonom yn ddigon hen i gofio Komi yn ei ddyddiau radicalaidd. Y tro cyntaf i mi ei glywed yn siarad oedd mewn cyfarfod i gefnogi'r Glowyr yn ystod y Streic. Fe'm swynwyd i'n llwyr ganddo, ond dwi'n rhyw amau i Malan ddisgyn mewn cariad efo fo. Fedrwn i mo'i beio. Roedd o'n ifanc, yn llawn rhyw, ac ar dân dros achos y gweithwyr. Roedd argyhoeddiad o'r fath yn fêl ar hormonau dwy eithafwraig fel ni. Dwi'n cofio dweud wrthaf fy hun y byddai hwn yn mynd yn bell. Freuddwydiais i 'rioed pa mor bell y byddai o'n mynd oddi wrth ei wreiddiau. Ei atyniad oedd ei angerdd, ei danbeidrwydd, ei obaith am well yfory. Gollodd o beth o hynny er mwyn cael ei ethol i'r Senedd, ac yna mi waredodd ei hun o'r cyfan drwy gael ei dynnu i'r Canol.

Yr un hen stori oedd hi, meddwi ar rym ac enwogrwydd ac arian a'r holl drapings hynny y mae sosialwyr i fod yn ddi-hid ohonynt. Wedi i Lafur ddod i rym, doedd neb yn synnu'n fawr pan ddaeth o'n Ysgrifennydd Gwladol. Roedd o wedi crafu cymaint, roedd hi'n syndod bod rywbeth yn weddill ohono. Bu'n darged cyson i'r Gymdeithas, ond roedd ei ymateb mor chwerw fel bod yn gas gennym brotestio yn ei erbyn. Doedd protestio ddim fel tasa fo'n ddigon, rywsut. Mi fyddai'r rhan fwyaf yn gwerthfawrogi'r cyfle i'w grogi. Dyna'n amlwg deimlad Malan.

"Be ydi o am ddynion canol oed?" gofynnodd. "Ydyn nhw'n cael rhyw wefr rywiol o ymddwyn yn gymaint o gachwrs?"

Roedd hi wedi lapio Job mewn clwt glân, ac roedd y plentyn i'w weld yn hapusach.

"Dwyt ti ddim am ddod fory, nag wyt?"

"Nac ydw, Ennyd. Tydw i ddim am gynhyrfu fy hun ar ei gownt o. Gaiff o fynd i ganu. Ty'd, Job." Gafaelodd yn ei mab a mynd o'r stafell.

Ro'n i'n parchu ei safbwynt hi, jest yn pitïo'r amseriad.

Fe'i dilynais i fyny'r grisiau wrth iddi fynd â Job am ei gwsg prynhawnol. Edrychais arni'n ei osod yn ofalus yn ei got ac yn rhoi'r blanced drosto. Y dwylo rheini ro'n i wedi eu gweld yn dal gordd, yn cael eu cau mewn cyffion, yn cael eu rhwystro gan heddwas, yn cythru am dun paent.

"Ti'n fwy eithafol wedi geni Job, wyt ti'n sylweddoli hynna, Malan?"

Ymddiheurodd am wylltio ynghynt.

"Fedra i ddim peidio â bod, Ennyd. Ers geni hwn, mae popeth roeddan ni'n sôn amdanyn nhw yn y gorffennol bellach yn real."

"Sut felly?"

"Addysg, Tai, Gwaith, Iechyd," meddai hi, yn adrodd penawdau'r Maniffesto, "yr holl betha haniaethol rheini roeddan ni'n eu galw'n 'Gyfiawnder'."

"Be amdanyn nhw?"

"Rŵan, dyfodol Job ydyn nhw – ei addysg o, ei iechyd o, ei waith o – mae o filgwaith mwy perthnasol."

"Hynna braidd yn unigolyddol," mentrais.

"Mae a wnelo fo â bob Job arall drwy Gymru. Jest bod y genhedlaeth nesa bellach efo wynebau ac enwau a dyfodol."

... A thinau, a chegau a thrwynau sy'n rhedeg a chythraul o archwaeth fel nad oes dim arall yn cyfrif, meddyliais, yn trio meddwl pam oedd pobl yn dewis cael plant.

"Ti'n deall be sydd gen i?" gofynnodd.

"Wrth gwrs," meddwn inna. Ond yn dal heb weld sut oedd hyn i gyd yn berthnasol i'r brotest yfory.

"Ro'n i'n arfer meddwl ein bod wedi cyflawni cymaint, Ennyd. Dim ond ers geni Job ydw i wedi sylweddoli cyn lleied 'dan ni wedi ei newid ar y Drefn."

"Dydi o ddim oherwydd diffyg trio."

"Jest 'n bod ni ddim yn trio digon 'te? Be ydi geiriau Lewis Edwards – 'Mae pob llywodraeth yn ddigon da i'r bobl sy'n ei goddef'… Dyna'n drwg – 'dan ni'n bobl mor oddefgar."

"Falle caiff cenhedlaeth Job well hwyl ar betha," meddwn i'n reit ddigalon.

"Dyna f'ofn penna i – y bydd raid iddo fo fynd drwy brofiadau llawer gwaeth na ni, dim ond am ein bod ni wedi bodloni ar chwarae politics."

Buom yn dawel am dipyn ac mi deimlais yn euog mwya sydyn, fel taswn i'n un o giwed Herod yn gyfrifol am osod melltith erchyll ar blantos bach. Roedd Malan yn dal i sefyll wrth y cot yn syllu ar Job yn cysgu.

"Ennyd," mentrodd. "Sgen ti ddim awydd cael un dy hun?"

"Ddim ti o bawb, Mali…"

"Sori."

"Paid."

"Jest teimlo ydw i dy fod ti'n cau'r dewis o gael plant mor bendant o dy ben nes y byddi di'n…"

"Nes y bydda i'n…?"

"Difaru?"

Edrychais ar stafell Malan, ar y gwely, ar got Job. Ar y tegan oedd yn crogi o'r nenfwd efo clowns pinc arno. Doedd o ddim yn codi mymryn o awydd arnaf i. Roedd Malan yn dal i wirioni ar bob diwrnod newydd gyda Job, ac roedd hi'n wirioneddol gredu 'mod i ar fy ngholled. Doedd hi ddim yn arfer mentro i'r tir yma, ond ers y babi roedd hi bendant wedi newid.

Trois i fynd i lawr grisiau, "Mi ro' i andros o sioc i ti un diwrnod, Malan Jones. Mi fyddi di'n agor y drws a dyna lle fydda i efo coets anferth a dau set o efeilliaid. Falle rhoi di'r gora i 'mhlagio i wedyn."

"Ti'n fy 'nabod i ddigon da, Ennyd."

Ddeudais i ta-ta wrthi, ac mi roddodd hi ei braich ar fy ysgwydd.

"Hwyl efo petha fory," meddai.

"Wfft i chdi," atebais inna, efo gwên.

Ar y ffordd adref, bu geiriau Malan yn curo'n ddyfal yn fy mhen. Roedd y ffaith iddi wrthod dod i'r brotest hefyd wedi fy siglo. Falle mai chwarae politics oeddan ni wedi ei wneud erioed. Ddaru'r craciau ddaru ni eu hachosi yn y Drefn siglo dim ar ei seiliau. Falle mai cyfnod arbennig o wael oedd o. Falle y câi cenhedlaeth Job amodau gwell i frwydro ynddynt. Falle bod yr Wyddfa'n gaws…

Sylweddolais yn sydyn nad oedd gen i affliw o neb ar gyfer fory. Gwnes restr feddyliol o bobl posib, a sylwi ei bod yn fain iawn arnaf i. Waeth befo pa mor glodwiw oedd egwyddorion pobl ynglŷn â pheidio dod i brotest, fedrwn i yn fy myw weld sut oedd aros adref yn athronyddu yn fwy o fygythiad i'r Wladwriaeth. Ol reit, falle bod yna ddiffyg ar y tactegau, ond doedd neb fel tasan nhw'n meddu ar weledigaeth well.

Galwais yn nhŷ Her ar y ffordd adref.

" 'Di Her ddim yma," meddai Seibar pan welodd o fi'n y drws.

"Dwi'n gwbod," meddwn inna gan gerdded i mewn.

Munud y caeais i'r drws, gwyddwn 'mod i wedi styrbio un o'i raglenni. Gweithio o adref wnai Seib, yn gwneud gwaith dylunio cyfrifiadurol. Roedd yn rhaid bod yn ofalus pryd roeddach chi'n tarfu arno, neu mi fyddai'n bigog. Fel arfer, roedd o'n ddigon balch o 'ngweld i, ac ro'n i'n manteisio i'r eithaf ar hynna rŵan. Hen fusnes cas oedd hel protestwyr. Roedd o fel pysgota efo rhwyd llawn tyllau. Es drwodd i'r gegin a gwneud paned i'r ddau ohonom.

"Wedi mynd i Landudno i chwilio am ddillad mae hi – ma' gynni hi briodas fory," eglurodd.

"Dwi'n gwbod."

Steddais am dipyn yn gadael i Seibar stwna mewn penbleth. Fyddai neb byth yn 'ymweld' â Noddfa. Galw fyddai pobl efo neges benodol, ar eu ffordd i sesh, ar eu ffordd o sesh, i gael parti, i wadd eraill i barti, i ddod atynt eu hunain wedi parti, i fynd i brotest, i gael eu gwynt 'nôl wedi protest, i wneud gwaith ar y cyfrifiadur neu i gael eu harwain ar gyfeiliorn gan Her. Ni wyddai Seibar be ddiawch ro'n i'n dda yno.

"Sut aeth Dolig, Ennyd?"

"Iechyd, mae hi'n fain arnat ti am sgwrs."

"Diawl! Ti ddaeth yma – deud ti rwbath 'ta!"
Roedd Seib wedi ei frifo. Jest eisiau cael y
cyfan drosodd oedd o i gael mynd yn ôl at y
sgrin. Roedd yn amlwg nad oedd ganddo fo
amser i'w wastraffu, hyd yn oed efo mi.

"Do, diolch, Seibar, ges i Ddolig wrth fy
modd. Mi wnes i 'nyletswydd ac es i dŷ fy
rhieni yn hogan fach dda a bwyta 'mwyd i
gyd."

"Gest ti well Dolig na fi 'ta."

" 'Nest ti ddim aros yn fa'ma?"

"Naddo. Aeth Giaff a fi i'r Wirral."

"Be oedd yn fan'no?"

"Ffrindia. Neu mi oeddan nhw'n ffrindia
nes i Giaff sgriwio bob dim."

"Yn llythrennol?"

"Jest basdad ydi o. Paid â sôn amdano fo."

"Lle mae o rŵan?"

"Fyny."

'Fyny' fyddai Giaffar – drwy'r amser. Yn
feddyliol ac yn gorfforol, fyddai o byth yn dod
i lawr i'r ddaear. Mi fyddwn i'n meddwl yn
aml am Giaffar fatha angal – dragwyddol yn

hofran 'fyny fan'na', neb byth yn ei weld, ond yn bresenoldeb parhaol – yno, ond heb fod yno. Dwi'n siŵr fod rhai o gydnabod Seibar yn amau bodolaeth y dyn o gwbl. Mi fyddai o'n esgus llawer rhy handi i Seib neu Her i ddweud eu bod nhw'n 'gwarchod Giaff'.

"Ti'n gneud rwbath fory, Seib?"

"Pam?"

"Naill ai rwyt ti'n gneud rwbath neu dwyt ti ddim."

"Dibynnu."

"Mae Komi ym Mangor fory."

"Dwi'n brysur."

"Nag wyt ti ddim, Seib! Dwi ar ben fy hun tro 'ma."

"Gofyn i Her."

"Her efo'r briodas 'na, tydi?"

Chwarddodd Seibar. "Faswn i'n licio bod yna. Elli di ddychmygu Nedw Plas mewn siwt?"

"Elli di ddychmygu Nedw Plas yn dad? Mae hynna'n codi lot mwy o ofn arna i."

" 'Dan ni'n cael parti yma noson ola flwyddyn. Ti'n dod?"

"Nac'dw, 'dan ni'n mynd i fyny Wyddfa.

Soniodd Her ddim wrthat ti?"

"Do – dyna pam 'dan ni'n cael parti."

"Diawlad. Ddowch chi ddim, felly?"

"Fedrwn ni ddim gadael Giaff yma ei hun – ac mi fydd hi'n oer."

"Fydda fo'n gneud lles i'r ddau ohonoch chi."

" 'Dan ni ddim yn gneud petha sy'n gneud lles inni – ar egwyddor."

"Dowch am yr hwyl 'ta."

"Fyddwch chi wedi disgyn dros 'rochor neu rwbath, nabod chi, a fydd 'na halibalŵ mwya dychrynllyd. Paid â disgwyl i mi dy helpu di."

"Ti fasa'r person diwetha faswn i isio'n agos i mi taswn i ar fy ngwely angau. Pwy sy'n dod i'r parti 'ma?"

"Pawb."

Welais i 'rioed bartion tebyg i rai Noddfa. Pan oedd pawb arall yn mynd i gryn drafferth i drefnu parti, yn gwario lot ar fwyd a diod, mi fyddan nhw'n cael ymateb go lew. Yna, fyddai Seib a Giaff ddim yn trefnu o gwbl, ddim yn cynnig unrhyw fwyd ac yn disgwyl i bawb ddod â'u diod eu hunain, ac mi fyddai pobl yn tyrru yno. Mi fyddan nhw'n ciwio wrth y drws. Falle mai'r miwsig oedd o, falle mai'r cyffuriau, falle mai personoliaethau annwyl y ddau oedd o (neu fwy na thebyg y ffaith eu bod nhw'n rhannu tŷ efo Her).

"Ddown ni i'r parti ar ôl dod i lawr o'r Wyddfa."

"Fydd hanner nos wedi bod, yr hulpan."

"Dydi o'm ots."

"Parti Calan ydi o. Hanner nos mae'r cleimacs."

"Be wyddost ti am gleimacs? Fyddi di allan o dy ben. Disgwyl i ni ddod 'nôl ac mi drawsnewidiwn ni'ch parti chi."

"Edrych ymlaen."

"Reit – fory; ti'n dod?"

"Be sy isio'i 'neud?"

"Fathag arfar – jest sefyll yno."

"Oes 'na risg o gael ein restio tro 'ma?"

"Ddim os byhafi di."

"Faint o gloch?"

"Han' 'di deg."

"Fydda i'm 'di codi."

"Wrth gwrs y byddi di. Fi sy'n rhoi lifft i chi yno."

" 'Chi'?"

Mi godais ar fy nhraed a mynd i fyny grisia, yn teimlo 'mod i'n optimist hyd yn oed yn ôl fy safonau i. Doedd Giaff ddim wedi bod mewn protest ers misoedd.

"Ddaw o byth!" gwaeddodd Seib, ond doedd gen i'm dewis. Roedd yn rhaid i mi gael pobl.

Agorais ddrws Giaff ac mi fu bron i mi lewygu efo'r drewdod. Lwc nad oedd *Environmental Health* yn debyg o ddod o gwmpas, na *Mental Health* 'chwaith, tasai'n dod i hynny.

"Giaff…"

Roedd Giaff yn un llinyn hir ar fatras efo sach cysgu drosto. Mi 'sgydwais i o'n hegar.

"Diawl!"

"Giaff…"

"Dos i ganu."

Edrychais ar y llenni caeëdig a'r seffti pin yn eu dal gyda'i gilydd. Trwy'r gwyll gwelwn bentyrrau o ddillad a CD's a spliffs.

"Coda!"

"Sdwffio chdi!"

"Ennyd sy 'ma."

Trodd y pen, "Ennyd? Be sy'n bod?"

"Isio dy help di ydw i."

"I be?"

"I achub Cymru."

Trodd yn ôl i wynebu'r wal. "Sod off."

Mi fyddai rhywun yn disgwyl gwell gan un o ddisgynyddion Emrys ap Iwan. Tad Giaff oedd wedi gwneud gwaith manwl ar achau'r teulu ac wedi canfod eu bod yn hannu o linach Emrys ap Iwan.

"Dyna egluro i chi'r tân sydd yng ngwaed yr hogyn," meddai ei dad o. Mae 'na fwy o heroin na dim arall yn ei waed o bellach, c'radur.

Dyna lle'r oeddwn i yn trio meddwl be fyddai'r IRA yn ei wneud mewn sefyllfa fel hyn.

"Giaff, ty'd 'laen. Gei di dy dalu."

Ro'n i wedi llwyddo i gynnau ei ddiddordeb o'r diwedd.

"Talu?"

"Ia. Mae'r Gymdeithas mor despret rŵan, mae pawb sy'n dod ar brotest yn cael eu talu."

"Ffo! O ce 'ta…" Ac mi rowliodd i 'ngwynebu i drachefn.

Mi wylltiais i'n sydyn a thynnu'r dillad oddi arno.

72

"Os mai felly mae'i deall hi, gei di fynd i ganu!"

Deffrôdd Giaff yn iawn.

"S... sori Ennyd... ddim wedi deffro o'n i... Be sy isio mi 'neud?"

"Deg bore fory – dwi isio ti ar dy draed!"

Wrth ddod i lawr y grisiau, mi welwn i wyneb Seib yn edrych yn syn arnaf.

"Ydi o'n dod?"

"Deg bore fory – a dy gyfrifoldeb di ydi o."

"Hynny'n ddim byd newydd," meddai Seibar yn ddigalon wrth gau'r drws.

Erbyn i mi ffonio o gwmpas noson honno, roedd y lleiafswm yn ddau, a'r potensial yn saith. Mi fyddai'n rhaid i hynny wneud y tro. Pam oedd o'n gymaint o waith cael pobl allan i brotestio? Mi es i gysgu'r noson honno yn falch nad fi oedd yn gyfrifol am hel y miloedd allan ar y strydoedd yng ngwledydd Canol America. Ond wedi meddwl, pan nad oes gennych chi affliw o ddim ar ôl yn eich tŷ, does dim angen i neb *ofyn* i chi ddod allan i brotestio.

28 RHAGFYR

MAE 'NA RAI DYDDIAU y byddai'n well gennych
chi petaen nhw ddim yn gwawrio, ac roedd
heddiw yn un ohonyn nhw. Gorweddais am
hir yn y gwely yn pitïo na fyddwn i'n gripil
neu bod rhyw aflwydd arnaf a olygai na allwn
godi ohono. Y fath ryddhad fyddai teimlo fod
yr holl gyfrifoldeb ar ysgwyddau rhywun
arall. Beth oedd waethaf ynglŷn â'r holl beth?
Yr embaras dwi'n credu, ia yn bendant – yr
embaras. Yr embaras o deimlo'n fach, yn
ddiwerth ac yn gwbl ddi-rym. Ugain mlynedd
o brotestio, a doeddwn i byth wedi dod i
ddygymod â'r embaras. Os rhywbeth, roedd
o'n gwaethygu.

I goroni'r cwbl, roedd fy nant yn fy mhoeni
eto. Gallwn ei deimlo'n siglo ac roedd fy
nhafod yn mynnu chwarae ag o. Rhywle yn
y pellter, roedd 'na Boen Mawr Fel Cawr ar
ei ffordd. Gallwn glywed sŵn ei draed eisoes
yn peri i'r byd ddechrau crynu. Roedd gen i
ofn ei ddyfod yn fwy na dim. Wrth imi godi

o'r gwely, clywn sŵn pitran patran ysgafn y glaw ar y ffenest. Roedd o am fod yn un o'r dyddiau rheiny.

Hitia befo, meddwn i wrth Sguthan wrth osod y tân, mi allai hi fod yn waeth. Mi allwn i fod yn Iona druan oedd ar fin cysegru ei bywyd i Nedw Plas, wedyn esgor ar ei epil o a gorfod magu'r ddau am weddill ei hoes. Mewn cymhariaeth â hynny, doedd awr o brotestio a dipyn o ddannodd yn ddim. Gwasgais y papur newydd yn beli bach tyn gan osgoi defnyddio tudalennau *Y Cymro*. Hen arferiad bach gwirion oedd o, ond fedrwn i ddim stopio fy hun. Roedd geiriau'r iaith Gymraeg yn ddigon prin heb i mi eu defnyddio i gynnau tân. Mater gwahanol oedd *'Television Wales'*, mi oedd angen sbectol i weld y Gymraeg yn hwnnw. Yn gyffredinol, mi fyddwn i'n trio peidio meddwl am S4C heb sôn am ei wylio. Embaras mawr oedd ein bod erioed wedi ymgyrchu dros y fath wasanaeth. I feddwl yr hyn allai o fod wedi bod.

Nid dyma oedd yr amser i hel meddyliau am hen fethiannau a breuddwydion coll. Tyrd yn dy flaen, Ennyd. Neidiais i mewn i'r car efo'r posteri a'r placardiau a gwasgu 'nhroed i lawr wrth danio'r injan.

Teimlais fy nhroed dde yn chwarae mig efo'r sbardun. Roedd o'n gwbl rydd. Damia. Pethau fel hyn oedd yn gwneud i rywun deimlo fod y duwiau yn chwarae triciau arnom – a duwiau ar ochr y System ydyn nhw fel rheol. Gwasgais a thyngais a gwingo a gwgu, ond yn gwbl ofer wrth gwrs.

Rhuthrais yn ôl i'r tŷ a chodi'r ffôn gan wybod mai dyna oedd fy unig siawns.

"Helô… Malan?… Malan? Fi sy'ma… elli di fy helpu i?… Y car – ia, *kaput*… ia, elli di ddod i fyny? – rŵan? Wel, ty'd â fo efo chdi – nac oes – neb arall, wel oes… ym… jest Seibar, ym… a Giaff. Pwy cheith ddim dod – Giaff? Ia, o ce – go brin y daw o. Na, deall yn iawn. Na… fasa fo'm yn iawn ar Job. Iawn. Ond mae gen ti le i Seib – a ti'n fodlon iddo fo ddod? Ol reit. Oce – mi gychwynna i gerdded – ty'd ti i fyny i 'nghyfarfod i…"

Roedd hi eisoes yn chwarter i ddeg.

Pam ddeudais i y baswn i'n cerdded? Ro'n i wedi anghofio ei bod hi'n bwrw. A phroblem fach iawn oedd dipyn o law o'i chymharu â'r ffys fyddai 'na petai Giaff yn dod. Os nad oedd Malan yn fodlon ei gael o yn y car, dyna un yn llai… ond o leia roedd Malan yn dod. Swap oedd hi mewn gwirionedd felly. Ffeirio Giaff am Malan. Jest gobeithio na fyddai Giaff wedi codi…

Ro'n i'n ceisio meddwl be oedd Giaff wedi ei wneud i bechu Malan cymaint. Jest bodoli, debyg.

Mi ddaeth car Malan i'r fei cyn 'mod i wedi gwlychu at fy nghroen. Roedd Job yn sgrechian yn cefn. Eglurodd Malan nad oedd hi wedi gorffen ei fwydo. Chwiliais yng nghefn y car nes dod o hyd i'w botel, ond roedd Job yn mwynhau crio cymaint erbyn hynny, doedd o mo'i heisiau hi.

"Wyt ti'n siŵr nad ydi Giaff yn dod?"

"Faswn i ddim yn meddwl 'sti – dydi o ddim ar yr un blaned â ni y dyddia yma."

"Dyna pam nad ydw isio fo'n agos at Job."

"Yn hollol… Faint o'r gloch ydi hi?"

"Deng munud wedi."

"Allat ti roi dy droed i lawr ryw fymryn?"

"Na fedra! Ma' gen i fabi yng nghefn y car!"

Dyna pryd y dewisodd Job chwydu ei berfedd dros sêt gefn y car.

Wrth gwrs, pan agorais i ddrws Noddfa, roedd Seibar yn eistedd yn y stafell ffrynt fatha tasa fo yno'n disgwyl ers wythnos. Diolch byth, doedd dim golwg o Giaffar.

"Ddeudaist ti y bydda…"

"Dwi'n gwbod Seib, aeth petha o chwith."

"Wnawn ni byth gyrraedd Bangor."

"Hitia befo, mi wnawn ni'n gora."

Ro'n i'n ceisio cysuro fy hun efo 'ymdrechais ymdrech deg' a ballu. Ond, i ddim diben. Ro'n i yn gwybod ac roedd Seib yn gwybod fod yn rhaid cyrraedd o flaen Komi neu mi fyddai'r cwbl yn wastraff. Dyna pryd ddaeth Giaffar i lawr grisia.

"Wyt ti'n siŵr dy fod ti isio dod?" gofynnais iddo.

Edrychodd Giaff ar Seib ac yna arnaf i yn araf, fel tasa fo ofn i'w ben o ddisgyn yn rhydd.

"Jest ofni bydd y cwbwl yn ormod i ti ydw i," meddwn i.

" 'Nes ti addo nad oedd 'na ddim trwbwl am fod," meddai Seibar. Dim y fo oedd i fod i gael traed oer.

78

"Dwyt ti ddim yn edrych yn gant y cant..." meddwn i, "ac mae'r babi wedi chwydu..."

"Ennyd!" bloeddiodd Seib yn diwadd, "wyt ti'n gwbod faint o ymdrech fu cael y jynci yma i godi bore 'ma?"

"Jest..." Cofiais yn sydyn fod y ddau yma wedi ffraeo. Roedd fy mhen yn troi.

Clywais Malan yn canu ei chorn tu allan.

Rhoddodd Seibar got Giaff amdano a'i wthio allan drwy'r drws. "Mae hwn yn mynd i Fangor heddiw hyd yn oed os dwi'n gorfod ei gario fo ar f'ysgwyddau," meddai Seib.

Roedd Malan wedi dod allan o'r car.

"Mae gen i ofn y bydd yn rhaid i ti, achos tydi o ddim yn dod yn y car yma," meddai hitha. O diar.

"Malan – fydd o'n iawn..." plediais.

"Be ddiawl sy'n digwydd?" gofynnodd Seibar, wedi drysu'n llwyr bellach.

"Mae gen i fabi yn y car."

"Ti'n mynnu bod ni'n dod... dwi'n codi'n gynnar... dwi'n llusgo'r sglyfath peth 'ma, rwyt ti'n cyrraedd yn hwyr a wedyn mae hon yn gwrthod lifft inni..."

Ro'n i'n sefyll yn y glaw yn meddwl sut ar y

ddaear ro'n i'n canfod fy hun yn y fath sefyllfaoedd.

"Malan, plîs – jest am heddiw."

"Ddim efo Job yn y car."

"Seibar, fydd rhaid inni jest ei adael o adra…"

"Gad y bali babi tro nesa." Mi gofiais yn sydyn pam nad oedd Malan yn rhy hoff o Seib 'chwaith.

Y diwedd fu i mi roi'r posteri a'r placardiau yng nghar Malan a rhoi ras i ddal bws efo Seib a Giaff. Wel, dydi 'ras' ddim cweit yn wir. Llusgo Giaff rhyngddon ni ddaru ni, a chyrraedd Bangor tua chwarter i un ar ddeg. Roedden ni wedi hen golli'r Wasg, ond doedd Komi ddim eto wedi cyrraedd.

Wrth y cloc, roedd tri o brotestwyr eraill yn sefyll efo golwg 'be wna i?' arnynt. Roedd hi'n bosib iddi fod yn brotest reit lwyddiannus. Rhoddais boster i bawb ei ddal. Daeth Parri Post aton ni.

"Gawson ni neges y byddach chi yma am han' 'di deg."

"Sori, Parri."

"Dim ond hyn ohonoch chi sy' na?" Dyma

oedd dechrau'r embaras.

"Sori, Parri."

"Oes gynnoch chi rywbeth newydd i'w ddweud?"

"Sori Parri, jest yr un hen lein. Cymry sy'n anfodlon a Llafur yn gwrthod gwrando…"

"Tydi hynny fawr o stori."

A 'dwyt titha fawr o ohebydd, meddyliais.

"Sori, Parri."

"Jest hyn ohonoch chi sydd 'na?" meddai gohebydd di-Gymraeg.

Roedd yr embaras yn gwaethygu. Ro'n i'n dechrau teimlo'n enbyd o fach ac annigonol.

"Petha'n anodd wyddoch chi… Dolig a ballu…"

Gwelais Malan yn stachu wrth wthio'r goets i fyny'r allt. Pethau'n anos ar rai.

"Ac mi wyddoch nad ydi'r Ysgrifennydd Gwladol yma ar berwyl gwleidyddol?"

"Tydi o byth, nac ydi?"

"Agor y *multi-storey car park* a'r *shopping precinct* mae o – does gynnoch chi ddim yn erbyn hynny, nac oes?"

"Oes, yn digwydd bod," meddai Seib. "Maen nhw'n cau siopa bach ac mi ddylia'r diawl yma wybod yn well, ac ynta'n gyn-Sosialydd."

Edrychais ar y gohebydd yn sgriblo'n brysur.

"Diolch yn fawr i chi, Mr...?"

"Pritchard – Idris Pritchard."

"A'ch statws chi efo'r Gymdeithas?"

"Is-Drysorydd Cynorthwyol dros-dro i Ranbarth Arfon."

Stopiodd y feiro. "Deudwch hynna eto, plîs."

Rhyw lanc plorog efo peiriant recordio oedd yr olaf i ddod atom. Gwelais Pill yn camu oddi ar y bws ac yn edrych yn freuddwydiol o'i gwmpas. Chwarae teg iddo am ddod.

"Nefydd – o *Radio Cymru*," meddai'r llanc plorog yn gwasgu botwm ei beiriant. "Allech chi ddweud wrtha i beth ydi diben y brotest yma?"

"Dyma ni, yn Ninas Bangor," meddwn i, yn ceisio swnio'n gynhyrfus. "Unrhyw funud rŵan, mae'r Ysgrifennydd Gwladol yn mynd i gyrraedd, ac rydan ni am godi llais yn erbyn..."

"Sori, fedrwch chi ddeud hynna eto, plîs? Mi wasgais i'r botwm rong..."

Ro'n i ar fin cymryd anadl ac ailadrodd fy hun am y filfed tro pan waeddodd Seib, "Dyma fo!" a rhuthro yn ei flaen at gar Swyddfa-Gymreig-ei-olwg a dechrau waldio'r ffenest. Ro'n i wedi rhoi gorchymyn pendant i Seib iddo gadw llygad ar Giaff. Dim ond hynna oedd raid iddo'i wneud. Trwy gornel fy llygaid, gwelais Giaff yn sefyllian o gwmpas Malan a golwg ddyrys arno. Agorwyd drws y car crand, rhuthrodd Seib tuag ato cyn i'r heddlu afael ynddo a'i lusgo ymaith. Dyna un yn llai. Cerddodd yr Ysgrifennyddydd Gwladol heibio'r protestwyr.

"Peidiwch â'n hanwybyddu ni!" gwaeddodd Malan arno, a gwelodd yr hen lwynog ei gyfle. Anwybyddodd y person tu ôl i'r pram ac edrych ar Giaff.

"Be ydi'ch protest chi tro yma 'ta?" gofynnodd.

Edrychodd Giaff yn hurt arno.

"Y?" meddai.

Gwasgodd y camerâu a chofnodi'r cyfarfyddiad.

"Rydan ni'n ceisio cyfarfod â chi ers dros flwyddyn," meddai Malan wedyn.

"Tydw i ddim yn siarad efo chi," meddai Komi mwya nawddoglyd. "Gofyn cwestiwn i'r gŵr ifanc yma ddaru mi."

Cliciai'r camerâu fel pethau gwirion. Wna i fyth anghofio'r olwg ar wyneb Giaff. Roedd o'n edrych ar yr Ysgrifennydd Gwladol fel petai o'n rhywbeth o'r lleuad. Syllodd arno gymaint nes codi ofn ar Komi, ysgydwodd hwnnw ei ben a cherdded yn ei flaen. Dechreuodd eraill weiddi arno wedyn, ond yn rhy hwyr.

Roedd y Wasg wedi cael eu stori. Aethant ar ôl yr Ysgrifennydd Gwladol fel petai o'n Bibydd Brith. Distawodd popeth ac roedd y brotest ar ben. Daeth Malan ataf, a dagrau o ddicter yn ei llygaid.

"Welaist ti be 'naeth o?" meddai hi.

"Hitia befo. Ty'd Giaff, awn ni lawr i Swyddfa'r Heddlu."

"Be oedd y boi 'na isio?" holodd Giaff mewn penbleth. "Oedd y diawl yn sbio arna i a neb arall..."

"Hitia befo."

Roedd Nefydd yn daer iawn i gael gair efo ni.

"Sut ydach chi'n meddwl aeth y brotest?" gofynnodd.

"Wyt ti wedi gwasgu'r botwm iawn bellach?" gofynnais.

Nodiodd Nefydd yn nerfus.

"Wel, unwaith eto, mae'r Ysgrifennydd Gwladol wedi dangos ei ddiffyg diddordeb llwyr yng ngofynion y Gymdeithas," meddwn i.

"A'i ragfarn llwyr yn erbyn merched efo plant," ychwanegodd Malan.

Dim ond un cwestiwn sydd gan y Wasg ddiddordeb ynddo, ac mi ddaeth o'r diwedd.

"Fydd hyn yn esgor ar weithredu uniongyrchol yn erbyn yr Ysgrifennydd Gwladol?" gofynnodd Nefydd.

"Bydd – 'dan ni'n mynd i'w grogi fo," daeth llais Giaff o rywle.

Ni allai Nefydd gredu iddo gael y fath sgŵp a diffoddodd y peiriant. Roedd rhaid gwneud rhywbeth ar fyrder.

"Diolch yn fawr," meddai, fatha cath wedi cael hufen.

"Mae newyddiadurwyr proffesiynol yn gadael petha felly allan," eglurais, yn ceisio ymddangos yn ddi-hid ac yn chwysu chwartia'n ddistaw bach.

Ymaith â Nefydd.

Edrychodd Malan ar Giaff. "Rhyw ddydd, mae hwnna'n mynd i 'neud llanast go iawn o betha," oedd ei rhybudd olaf hi cyn mynd adref. Ro'n i'n amau ei fod o eisoes wedi gwneud.

Aethom i lawr i Swyddfa'r Heddlu.

"Isio gwbod am faint fyddwch chi'n cadw Idris Pritchard i mewn 'dan ni."

"Fydd o allan mewn chwinc, del."

"Biti," oedd unig sylw Giaff.

Edrychodd y plismon arno'n amheus. "Ar pa *charge* mae hwn 'ta?"

"Un o gefnogwyr yr iaith ydi o, a disgynnydd i Emrys ap Iwan," meddwn i'n urddasol a gwthio Giaff drwy'r drws inni gael disgwyl tu allan. Fyddai'n ddim gan yr heddlu ddefnyddio eu grymoedd newydd i restio Giaff yn y fan a'r lle.

Ymhen hir a hwyr, mi gafodd Seib ei ryddhau ar gyhuddiad o ymddwyn yn afreolus.

"O leia ches i ddim 'meddw ac afreolus' y

tro hwn," meddai Seibar. "Pam mai dim ond fi gafodd fy 'restio?"

"Am mai chdi oedd yr unig un ddigon gwirion i neidio ar ben y car," atebodd Giaff, a fedrwn i ddim anghytuno ag o.

Fuon ni ddigon ffodus i gael lifft adref gan un o'r protestwyr eraill, chwarae teg iddi. Mi wrthodais i fynd am beint efo nhw a mynd yn syth adref. Ro'n i wedi cael hen ddigon ar y diwrnod. I goroni'r cwbl, doedd dim gair am y brotest ar y newyddion Cymraeg, dim ond ryw stori wirion am un o'r teulu brenhinol.

Wedi cyrraedd gartref, gafaelais yn y placardiau a'r posteri a dringo'r ystol i'r atig i'w cadw. Roedd yna awyrgylch digalon yn hofran o gwmpas. Sodrais y placardiau ar ben pentwr o hen bosteri. Yno roedd wynebau a llythrennau wedi colli eu lliw – Dafydd Iwan, Ffred Ffransis, Tri Penyberth, 'Yr Iaith – Gwawr neu Fachlud?', 'Sianel Gymraeg yr Unig Ateb', 'Corff Datblygu Addysg Gymraeg', 'Deddf Iaith Newydd' a'r un cofiadwy hwnnw o lygaid Alun a Branwen yn dal i syllu arnaf. Mi fedrwn gychwyn arddangosfa reit dda efo ffasiwn archif – punt y pen ar bawb oedd eisiau hiraethu am ryw ddoe oedd wedi mynd. Beth oedd yn gwneud brwydrau ddoe yn gymaint melysach na rhai heddiw? Pam oedd cofio yn well na gweithredu? Roedd o'n waith am oes i ryw seiciatrydd yn rhywle. Tybed oedd De'r Affrig wedi cael yr un problemau â ni? Siŵr eu bod, dim ond nad oeddan ni'n clywed am hynny. Er, wedi i chi fod yn dyst i rywbeth fel Soweto, mae'n anochel fod y perspectif yn newid rhyw gymaint.

Dyma gynnau'r teledu i weld beth oedd yr arlwy – 'Palu 'Mlaen', 'Edrych Nôl' a 'Slam'. Mi gymerais Anadin a phenderfynu bod fy ngwely yn lle mwy difyr, hyd yn oed os oedd o'n wag ac yn oer. Iechyd, ro'n i'n dioddef o'r felan. Mae 'na rai dyddiau pan 'dach chi'n difaru eich bod chi wedi codi.

29 RHAGFYR

WEITHIAU, Y FEDDYGINIAETH ORAU ydi cwsg. Dwi'n meddwl mai anifeiliaid sydd wedi ei deall hi orau yn mynd i glwydo dros y gaeaf ac yn deffro ar gyfer yr haul. Trueni mawr na fyddai'r hil ddynol yn cael dilyn eu hesiampl. Roedd Her hanner ffordd tuag at wneud hynny.

Roedd rhyw ddeg awr o gwsg wedi gwneud gwyrthiau o ran adfer fy ysbryd, ac roedd chwerwder chwithig neithiwr wedi mynd. Ro'n i'n ffrindiau efo'r byd a'i bethau unwaith yn rhagor, ac roedd y swigen fach o obaith oedd yn hofran o'm mewn wedi dod i'r wyneb drachefn. Euthum i lawr i Gaer Saint i grwydro'r strydoedd a gwneud dipyn o siopa, cofio am fy wats a phicio heibio i siop Dic Doc.

"Mae fy wats i wedi mynd ar streic."

"Batri newydd 'dach chi isio."

"Toes 'na ddim cymaint â hynny ers i mi gael un newydd."

"Batris ydi'r unig betha mae pobl isio rŵan,"

meddai Dic, yn fy anwybyddu.

"... Neb isio prynu dim byd – ddim yn fan hyn p'run bynnag."

Dydw i ddim yn gweld cymaint â hynny o fai arnynt, doedd 'na fawr o lewyrch ar y siop. Doedd 'na fawr o lewyrch ar Gaer Saint, ffwl stop. Un siop fyddai yn gwneud busnes da fyddai siop gwerthu offer llnau. Roedd pob man fel tasa fo angen sbring clîn iawn. Wn i ddim pryd y bûm inna yn siop Dic Doc ddiwethaf. Ers talwm, roedd hi'n arfer bod yn un o siopau crandia'r dre' efo carped pinc ar y llawr a drychau'n sgleinio ar y waliau.

"Hen betha batris 'ma'n dda i ddim wyddoch chi."

"Roedd honna'n iawn tra oedd hi'n mynd."

"Tydan ni gyd?" meddai Dic Doc efo ryw dinc myfyrgar yn ei lais. Tyrchodd i berfeddion y wats. "Pan mae'r tician yn peidio rydan ni mewn trafferthion."

Cyn pen dim, roedd ymysgaroedd y wats ar y papur sidan.

"Mae hon angen opyreshyn."

Roedd Dic Doc yn ei fyd bach ei hun. Doedd ganddo fawr i'w ddweud wrth bobl, ond dim ond i chi roi teclyn mecanyddol yn ei law, ac mi fyddai'n ddyn newydd. Byddai ei wyneb yn goleuo, ei lygaid yn pefrio, a gallai ddatgysylltu ei enaid o'r byd ac ymgysegru ei hun i'r dasg o drwsio. Sefais yn fy unfan yn cyfri faint o wahanol labeli 'sêl' fedrwn i weld. Roedd yna dair gwahanol sêl ymlaen ar yr un pryd. Sylwais fod y clociau yn y siop wedi stopio cadw amser, a'u bod oll yn dangos amser gwahanol. Dyna'r un peth ro'n i'n arfer ei hoffi am siop Dic Doc – yr holl glociau'n brysur fesur amser mewn cytgord. Roedd yr hud i gyd wedi mynd a'r siop fel petai wedi marw.

"Be taswn i'n dod yn ôl rywbryd fory, Mr.Edwards... Mr.Edwards?"

Ond roedd o wedi llwyr ymgolli yn y gwaith. Sylwais am y tro cynta mor grynedig oedd ei fysedd.

Cerddais lawr Stryd Llyn yn falch fod pobl allan unwaith yn rhagor.

Roedd yna arwydd 'sêl' yn bob siop, bron. Es i Woolworths a chael bocs o siocled am hanner pris gan feddwl pwy fyddai'n gwerthfawrogi eu rhannu gyda mi. Byddai'n well gan bob un o'm ffrindiau fwyta'r bocs i gyd eu hunain. Ymlwybrais draw i Noddfa i weld pwy oedd o gwmpas.

Seib oedd yr unig un ar ei draed, roedd Her yn dal i ddod dros y parti priodas.

"Dydw i ddim wedi gweld Rasmws ers cyn Dolig," meddai Seib, a draw â ni i'r Siop Llyfra Cymraeg oedd wrth yr hen stesion. Roedd Siop Obadeia yn wahanol i'r un siop arall yn y wlad. Hon oedd yr unig siop lyfrau Gymraeg yng Nghymru oedd heb ei diweddaru ar gyfer ail hanner yr ugeinfed ganrif. Hon oedd yr unig un hefyd i beidio â chael enw gwirion megis 'Y Droell', 'Y Dresel', 'Y Siswrn', 'Y Sasiwn', 'Y Pethe', 'Y Pentan', 'Y Pyntars'. Roedd Pill wedi awgrymu'r enw 'Siop y Seidbord' unwaith, ond ddaru Obodeia ddim cymryd sylw ohono. Mi lynodd fel glasenw p'run bynnag.

Siop fechan uwch ben bont stesion oedd hi; tasach chi'n ddiarth, fasach chi ddim yn sylwi arni. Dydi hynny ddim yn hollol wir 'chwaith. Mi fydda 'na beth wmbreth o bethau od yn dod i'r siop.

– *Have you anything here about Waaaales?*

fyddan nhw'n ei ofyn yn ddisgwylgar.

Mi fyddai Rasmws yn cael ei demtio i ateb mai dim ond llyfrau ar dde-ddwyrain Lloegr oedd o'n eu gwerthu.

– *What aspect of Waaales?* fyddai ei ateb bonheddig.

– *Coloured pictures type o'thing,* fyddai cais amwys y Fisitors.

– *No, try Smiths* fyddai ateb Rasmws yn wastadol.

A, *'No, try Smiths'* oedd yr ateb i unrhyw un fyddai'n gwastraffu amser Rasmws.

"Sut mae petha?" gofynnodd Seibar yn hwyliog wrth ddod drwy'r drws, a chanodd y gloch fechan dros y lle. Fyddai'r blincin peth ddim yn stopio canu nes byddai rhywun wedi rhoi hergwd caled i'r drws. Ogla pethau wedi llwydo fyddai'n dod i ffroenau rywun gynta.

Prin y cododd Rasmws ei ben i edrych arnom. Er mor fawr ydoedd, roedd o bron o'r golwg yng nghanol y pentyrrau o *Barn, Tafod, Goleuad, Golwg, Go Lew, Tu Chwith, Tu Hwnt, Taliesin* a'r *Faner Goch.* Roedd hi'n amlwg fod Rasmws yn cyfri stoc ac wedi llwyr ddiflasu.

"Ro'n i'n meddwl dy fod ti mewn gefynnau," meddai Rasmws yn reit ddifrifol.

"He he, mi 'nes i Hwdîni," meddai Seib, tra'n bodio trwy *Taliesin*.

"Faswn i ddim yn bod yn rhy harti," meddai Rasmws. "Fyddi di'n ôl yn y Rhinws ar dy ben cyn bo hir."

"Be sy'n bod?" gofynnais.

"Y Newyddion," meddai Rasmws yn bwysig. "Yr eitem gynta. Y Gymdeithas yn cefnu ar ei pholisi di-drais."

Bu bron i Seibar gael hartan.

"Jest neidio at y car ddaru mi," medda fo'n ddiniwed.

"Ddim y ti maen nhw'n sôn amdano. Pwy bynnag ddeudodd wrth *Radio Cymru* eu bod nhw'n bwriadu crogi Ysgrifennydd Gwladol Cymru."

Teimlais chwys oer ar fy nhalcen ac edrychodd Seib yn od arnaf.

"Llais tebyg i'r Bonwr Giaffar Williams ddeudwn i," ychwanegodd Rasmws.

"Be 'di hyn, Ennyd?" gofynnodd Seib.

"Ufflon o fistêc," meddwn inna. Well i mi egluro i Goronwy. Fydd o wedi hitio'r to erbyn hyn. Rasmws, ga i ddefnyddio'r ffôn?"

A wir i chi, roedd y cyfan yn wir. Roedd y trychfil plorog o *Radio Cymru* wedi defnyddio'r cyfweliad yn llawn a heb ei olygu ac roedd datganiad Giaff wedi cael ei glywed gan y byd a'r betws. Yr unig gysur oedd nad oeddan nhw wedi ei enwi. Yr unig rai oeddan nhw wedi eu henwi oedd fi a Seib. Grêt.

"Paid ag edrych mor ddigalon, Ennyd. Dydi o'm yn ddiwedd y byd."

"Fydd o'n fêl ar fysedd y Wasg," meddwn i.

"Fasa fo'n gneud lles mawr i'r wlad tasach chi yn ei grogi fo," meddai Rasmws. "Mae 'na chwyldro wedi digwydd mewn sawl gwlad yn erbyn dynion gwell na hwnnw."

Fedrwn i ddim anghytuno. Un plaen iawn ei dafod oedd yr hen Rasmws, er ei fod yn Gristion gwiw. Edrychais arno, ar ei stôl uchel yn pwyso ar y cownter pren. Roedd hwnnw mor fregus fel bod rhywun yn dal ei wynt rhag ofn iddo ddymchwel. Ond roedd o yno ers tridegau'r ganrif hon, ac roedd o'n dal i sefyll. Edrychais arno'n llyfu ei wefus ac yn pwyso'r cyfrifiadur bach yn ddyfal. Yn aml, teimlwn fod Rasmws yn cael ei wastraffu yn gofalu am siop lyfrau. O ran ei awdurdod, ei osgo ac ehangder ei wybodaeth roedd o'n ymdebygu mwy i Dywysogion Gwynedd. O ran ei olwg a'i wallt blêr a'i locsyn, mi ddywedwn mai Rasputin oedd y dyn tebycaf iddo. Fasa llawer gwell siâp ar y wlad yma tasa hi'n cael ei rheoli gan rywun fel Rasmws. Mi fu'r Blaid hyd yn oed ar ei ôl yn gofyn iddo sefyll fel cynghorydd, ond nacáol oedd ateb Rasmws.

– Mi roddaf fy amser i wleidyddiaeth mewn Cymru Rydd, oedd ei ateb o.

Roedd teyrngarwch Rasmws yn cael ei roi i'r siop. Ei dad, Obodeia, oedd berchen y siop, ac roedd o'n ei rhedeg ers cyn y Rhyfel. Anaml fyddai Obodeia i'w weld tu ôl i'r cownter yn awr, ond roedd o'n amharod i drosglwyddo'r awenau i'w fab. O ganlyniad, roedd gan Rasmws un peth yn gyffredin â mab hynaf brenhines Lloegr. Roedd o'n methu perswadio ei riant i ildio grym iddo. Ac o'r herwydd, roedd o'n tynnu at ei hanner cant ac yn dal i orfod byw ar ryw arian poced o gyflog. Nid fod Rasmws yn cwyno'n ormodol. Dim ond i rywun sticio llyfr o flaen ei drwyn ac roedd o'n hapus. Roedd mam Rasmws wedi marw ers canrifoedd, ac roedd ganddyn nhw howscipar o'r enw Prisi. Mi fyddai Prisi yn golchi, swmddio a choginio iddyn nhw – popeth ar wahân i lanhau'r siop. Dwi'm yn meddwl fod y siop wedi gweld brwsh na mop ers wedi'r Rhyfel.

Pesychodd Rasmws. Dwi'n siŵr fod yr holl lwch yn dechrau deud ar ei 'sgyfaint. Roedd o wedi syrffedu ar gyfri stoc ac roedd o wedi bod yn meddwl be ddylai tynged yr Ysgrifennydd Gwladol fod.

"Crogi'r diawl yn araf a rhostio ei ymysgaroedd tra bydda fo'n marw faswn i," meddai mewn tôn fygythiol, "heb ddatgan fy mwriad o flaen llaw ar *Radio Cymru.*"

"Mistêc oedd o, neno'r tad."

"Well i rywun gysylltu â'r Gwasanaeth Darlledu Cenedlaethol yn go sydyn i egluro hynny 'ta," meddai Rasmws, cyn gofyn ei hoff gwestiwn. "Rŵan ydi un ohonoch chi eithafwyr isio prynu rywbeth o'r siop yma, neu yma i ddifyrru eich hunain ydach chi?"

"Dwi'n sgint," meddai Seib.

"Be amdanat ti, Ennyd?"

"Taswn i'n cael llonydd i ddarllen gen ti, fydda dim rhaid i mi brynu dim," atebais.

Taro'r post oeddwn i, a lledodd gwên lydan dros wyneb Rasmws. Achos yno, yn y gornel, fel rhan annatod o'r silffoedd, bellach, roedd y Cwsmer Tawel. Doedd hwn 'rioed wedi gwario'r un geiniog yn Siop y Seidbord. Arferai sleifio mewn, dewis llyfr ac aros yno i'w ddarllen tan amser cau, cyn sleifio allan eto heb ddweud ta-ta. Ar ôl blynyddoedd maith, rhoddodd y gorau i drafferthu mynd adref hyd yn oed, gan aros yn y siop drwy'r nos yn darllen. Ar y dechrau, pan oedd Obodeia'n ifanc, gadawodd iddo fod – roedd o'n ffordd effeithiol o gadw lladron draw. Ond ymhen blynyddoedd, er mor llonydd oedd, a'i gefn at bawb, trodd y Cwsmer Tawel yn rêl niwsans. Mewn siop gyfyng, roedd yn cymryd lle, roedd yn bresenoldeb anghynnes, heb sôn am fod yn fygythiad i'r farchnad lyfrau. Roeddan ni wedi crefu ar Rasmws i gael rhywun i'w symud oddi yno, ond doedd Rasmws ddim yn licio ei styrbio. Yno roedd y Cwsmer Tawel wedi bod erioed. Doedd yr un ohonom eisiau mynd yn rhy agos ato rhag ofn inni ganfod wyneb pydredig neu benglog glân hyd yn oed yn llechu dan yr het. Mynnai Rasmws ei fod yn dal yn fyw. Ar adegau tawel iawn yn y siop, pan nad oedd neb arall yno, clywid sŵn dalen yn troi yng nghornel y Cwsmer Tawel.

Tasa Siop y Seidbord yn cael ei chrybwyll mewn llyfr, fyddai neb yn credu bod y fath le yn bod. Roedd y cyfan yn union fel petai wedi ei wneud o bapur. Yn achlysurol, fe ddeuech ar draws gloriau a fyddai'n gwneud ymdrech lew i ddal y dalennau mewn trefn, ar ffurf llyfr, ond yr argraff gyffredinol a gaech oedd fod pob twll a chornel yn llawn storiau na chai hyd yn oed y Cwsmer Tawel y cyfle i'w darllen i gyd. Be fyddai'n rhagori ar y storïau oedd yn hofran o gwmpas ar bapur oedd y rhai a adroddai Rasmws. Unwaith y byddai'n cychwyn, byddech yn gyfangwbl dan ei swyn, doedd dim byd arall yn bwysig, ac roedd yn rhaid i chi wrando. Hen bethau fyddai'n tarfu ar rediad y stori oedd cwsmeriaid yn dod i brynu cerdyn pen blwydd neu bapur bro, a byddai Rasmws yn aml yn gweu y cwsmeriaid hyn i'w stori cyn iddynt hyd yn oed adael y siop. Er mwyn cael clywed beth fyddai eu tynged, byddai'r cwsmeriaid yn aros i glywed diwedd y stori. Ro'n i wedi bod yn y siop fwy nag unwaith pan fyddai'n llawn o bobl yn gwrando a'r gynulleidfa yn gorlifo ar y strydoedd. Ro'n i'n pitïo yn aml fod y Castell yn wag – byddai'n lleoliad rhagorol i un o sesiynau chwedlonol Rasmws.

Ambell dro yn y siop, i roi ias wirioneddol i'r stori, byddai wyneb llwm Obodeia yn ymddangos yn y ffenest fach ar dop y grisiau. Roedd o'n wyneb enbyd o drist, fel tasa fo'n edrych i lawr ar deyrnas goll. Prisi oedd yr unig berson normal o gwmpas, er mae'n siŵr fod hynny'n gor-ddweud.

O bryd i'w gilydd, byddai corn gwddw Rasmws yn dechrau crygu ac mi fyddai'n awgrymu picio i *Carlos* am baned. Fel roedd Rasmws yn troi'r cerdyn 'Nôl Toc', agorodd y drws a safodd rhyw dyfiant yno.

"Anythink on Dylan Thomas 'ere?"

"NO, TRY SMITHS!" meddai'r tri ohonom, ac allan.

Roedd *Carlos* yn sefydliad yr oeddem yn dibynnu'n drwm arno – am gysur, am gynhaliaeth ac am gaffîn. Roedd yna gaffis eraill yn y dre', rhai mwy Cymreig, rhai mwy cyfforddus, rhai mwy diweddar, ond doedd yr un i guro *Carlos*. Ers ei sefydlu yn y pumdegau, roedd o wedi perffeithio'r ddawn o fod yn gaffi. Roedd o'n rhywle oedd wastad ar agor, wastad yn gynnes, wastad yn cynnig croeso. Yn fwy na hynna, roedd o wedi cadw corff ac enaid Rasmws ynghyd ers blynyddoedd, ac roedd hynny ynddo'i hun yn wasanaeth gwerthfawr i gymdeithas. Dydw i ddim yn meddwl bod y decor wedi newid fawr. Roedd y byrddau fformeica a'r seddau plastig yn mynd ac yn dod o ffasiwn. Doedd y llawr leino ddim yn arbennig o lân, ac roedd angen sgwriad go iawn ar y silffoedd. Er pan yn blentyn, gallwn gofio'r modelau o eis-crîms plastig 'na fyddai byth yn toddi, a'r fwydlen oedd yn hŷn na deddfau Moses.

"Tri the, plîs," meddai Rasmws wrth Lorietta, a dyma ni gyd yn syllu arni'n tollti'r trwyth croesawgar o'r tebot anferth, "– a chacen gwstard". Hoff gacen Rasmws oedd cacen gwstard.

"Gwnewch hynny'n bedair panad," meddai

llais cyfarwydd tu ôl i ni, a dyma ni'n troi i weld rhyw gysgod gwan o Her efo dau lygad yn ddu efo mascara.

"Rownd o dost i minna," meddai Seib, "dwi'n llwgu – a be am gael llond plât o gacenni cwstard?"

"Pam na chymerwch chi'r mins-peis 'na'r c'nafon?" meddai Sgadan o ben draw'r cowntar. " 'Dan ni'n cael ein claddu oddi tanyn nhw."

Gwthiodd Rasmws y trê tuag ati iddi gael gwneud y sym.

"Am ein bod ni'n dal i gredu mewn ewyllys rydd," eglurodd wrthi "– heblaw'r ffaith fod yn gas gen i finsmît."

"Pawb yn *allergic* iddo fo Dolig hefyd mae'n rhaid," meddai Sgadan yn gwylio Rasmws yn tyrchu yn ei boced am newid mân. Roedd ganddo fysedd fel sosejis a'i gwnâi yn anodd iawn iddo drin darnau arian. 'Dyna pam mae'n well gen i drin arian papur,' fydda fo'n ei ddweud efo gwên.

Pwysodd Sgadan ar y til hynafol nes roedd o'n tincial. Os oedd y caffi yn hen, roedd Sgadan yn hŷn. Mi fyddai rhai yn dweud ei bod hi yno ers cyn y Castell. Roedd eraill yn sôn mai nain Edward y Cyntaf oedd hi. Fedrwn i mo'i dychmygu yn unman heblaw ar ben cownter *Carlos*. Byddai'n haws gen i gredu bod y Wyddfa wedi symud na bod Sgadan wedi gwneud. Roedd hi'n horwth o ddynes heb ddim i wahaniaethu ei phen oddi wrth weddill ei chorff. A hyna'n byd yr âi, dyfna'n byd y byddai ei hwyneb yn suddo i'w chorff gan roi'r argraff ei bod yn hollol grwn. O'i hamgylch, roedd cadair wedi ffurfio i ffitio ei siâp yn union. Doedd bosib ei bod yn gallu dod allan o'r gadair. Dychmygais yn aml y seremoni nosweithiol o gludo Sgadan i rywle i glwydo. Efallai nad oedden nhw'n trafferthu tynnu oddi amdani, dim ond lluchio clamp o goban drosti a'i lapio mewn blancedi. Falle mai drwy'r lifft bwyd roeddan nhw'n ei chael hi i fyny ac i lawr.

Roedd Sgadan wedi synnu pawb rhyw ugain mlynedd yn ôl drwy wrthod marw. Mi gafodd hi salwch difrifol, ac roeddan nhw ar fin cyhoeddi'r cynhebrwng yn y papur pan ganslwyd o gan Sgadan. Roedd pobl wrthi'n brwsio eu siwtiau angladd ac yn estyn eu hetiau o'r bocsus pan ddifethodd Sgadan y drefn yn llwyr. Mi wrthododd farw. Fu dim amdani yn y diwedd ond canslo'r blodau yn y siop a deud wrth Twm Claddu am anghofio'r mater. Mi ddaeth pawb i'r casgliad y byddai Sgadan yn marw fel y gwnaeth bopeth arall yn ei bywyd – yn ei hamser ei hun. O ganlyniad, mi flinodd pobl ddisgwyl. Bu farw nain Lorietta, merch Sgadan, a doedd mam Lorietta ddim hanner da ond dal i dician wnâi calon Sgadan.

Rydw i yn ei chofio ers pan ro'n i'n blentyn, pan fyddai hi'n agor y til ac yn sleifio ceiniog inni. Roedd o'n fuddsoddiad gwerth chweil, fyddai 'run ohonon ni blant eisiau mynd i unrhyw gaffi arall. Gwaith Sgadan oedd gofalu am y til, ond roedd hi wedi dechrau ffwndro'n ddychrynllyd yn ddiweddar ac roedd yn rhaid i Lorietta gadw llygad arni, yn ogystal â gweini tu ôl i'r cownter. Uwch ben gorsedd Sgadan, roedd llun du a gwyn o frenhines Lloegr yn arwisgo ei mab hynaf. Roedd Sgadan wedi gobeithio y byddai'r tywysog ifanc wedi galw heibio am baned y diwrnod hwnnw, ond chafodd o ddim amser.

Biti – biti garw yn ôl Sgadan, 'nenwedig wedi iddi ailenwi'r caffi er anrhydedd iddo. Mi fyddai wedi gwneud byd o wahaniaeth i fusnes, a byddai wedi bod yn neis cael llechen ar y ffrynt i ddweud fod H.R.H. wedi cael te a theisen yno.

Roedd golygfa dda i'w chael drwy ffenest y caffi. Edrychai allan ar y Maes, a oedd yn ddelfrydol erstalwm pan oedd bysys yn mynd a dod oddi yno. Mi fedrech fwynhau eich paned tan y funud olaf, a ras i ddal y bws cyn i hwnnw fynd. Ond bellach roedd y bysys yn stopio rownd y gongl ac mi allech fferru am hydoedd os oedd eich un chi yn hwyr. Roeddan nhw wedi troi'r Maes yn faes parcio enfawr, ac roedd hyd yn oed y farchnad wedi ei hel oddi yno. 'Runig un elwodd ar y trefniant hwn oedd Robin Wirion a âi o gwmpas yn hel tâl parcio – yn gwbl answyddogol. Dim ond y fisitors oedd yn ddigon gwirion i dalu, gan gwyno wedyn na chaent bapur yn brawf o hynny. Gan iddo dreulio hanner ei oes yn mynnu mai fo oedd piau'r Maes, roedd ganddo beth hawl i'r pres, mae'n debyg. Roedd rhywbeth reit graff ynglŷn â Robin Wirion.

Ar ganol y Maes, yn edrych lawr ei drwyn ar yr holl geir fel rhyw draffig warden carreg, roedd Syr Huw, yn sefyll a'i bwysau ar un goes. Yn y pen draw, roedd Lloyd George efo'i fraich yn yr awyr yn cwyno bod gwylanod yn cachu ar ei ben. Tu draw iddo ynta roedd yr Abar, a thros Rabar, roedd 'na fryncyn bach a chastell ar ei dop, fel mewn llyfrau tylwyth teg. Tasa Rasmws yn digwydd cael ei wneud yn frenin, mi fasa fan'na'n lle da iddo fyw.

"Roedd hi'n briodas dda mae'n amlwg," meddwn i wrth y panda blinedig.

"Neb i siarad efo mi," gorchmynodd Her, "dwi'n diodde'n enbyd."

Canolbwyntiodd pawb ar eu tost a'u cacen gwstard. Cacen gwstard *Carlos* oedd fy ffefryn inna. Roedd yna rhywbeth lledrithiol ynglŷn â'r cyfuniad o gwstard wy meddal a'r crwst plaen efo'r haen o nytmeg dros y cwbl.

"Mae gen i focs siocled hefyd os 'dach chi'n llwglyd," meddwn i, a chytunodd pawb fod y pryd gystal â chinio Dolig. Cwmni da sy'n rhoi blas ar fwyd.

"Os gofynnith rywun arall, 'Sut Ddolig

106

wnaeth hi?' mi fydda i'n sgrechian," meddai Rasmws. "Holl bwynt Dolig ydi bod yn un-ion run fath â phob Dolig o'i flaen."

"Meddylia tasa'n dyddia ni gyd yr un fath â Dolig," meddai Seib, "gneud 'run peth, bwyta'r un peth, agor yr un cardia, rhoi yr un presanta – drosodd a throsodd a throsodd."

"Mae rhai pobl yn byw yr un dydd sawl gwaith drosodd," meddwn i, yn meddwl am Ffransis Nymbar Wan. Fasa fo'n cael hartan tasa rhywbeth gwahanol yn digwydd.

"Mae diwrnod priodas pawb yr un peth," meddai Her, yn ceisio ymuno yn y sgwrs. "Yr un dillad, yr un gwasanaeth, yr un fodrwy, yr un ffrog, yr un gacen, yr un jôcs..."

"Chi'n fan'cw..." meddai Sgadan, "glywsoch chi'r niws? 'Dach chi wedi'i gneud hi go iawn tro 'ma. Fydd o dros y papura i gyd, debyg. Cywilydd arnoch chi ddeuda i."

"Dydi o ddim byd i 'neud efo mi," meddai Rasmws. "Ciaridyms fel rhain oedd wrthi. Wn i ddim be ddaw ohonyn nhw."

"Yn jêl fyddwch chi, ar eich penna unwaith eto. Synnu eu bod nhw wedi'ch gadael chi allan 'rioed. Does ryfadd fod y dre' 'ma mewn ffasiwn stad."

Atgoffodd Rasmws hi ei bod yn Dori ac y dylai fod yn falch eu bod wedi bwrw sen ar un o Weinidogion Llafur.

"Paid â dod a politics i mewn iddo fo. Diffyg parch, a dim arall, ydi o."

"Chi oedd ucha eich cloch yn erbyn Llafur adag lecsiwn."

"Does dim isio crogi neb, dyna dwi'n ddeud. Dyna lle dechreuodd petha fynd o chwith yn lle cynta – pobl yn torri penna brenhinoedd."

" 'Mond isio Cymru Rydd ydan ni."

"Cymru Rydd, myn coblyn! Dydw i ddim isio bod o gwmpas i'w gweld hi. Dwi 'di ddeud o ganwaith. *South Wales Parliament* fydd hi a dim arall, efo 'rhen betha o'r Sowth 'na yn deud wrthon ni be i 'neud."

"Well na'r hen betha 'na o Lundain."

Taniodd Sgadan sigarét arall. *"Better the devil you know,"* meddai hi gan edrych yn fygythiol drwy'r mwg.

Roedd yn amhosib cael y gair ola efo hon. Wrth wrando ar Sgadan, mi fyddwn i'n dechrau amau'n wirioneddol a oedd unrhyw ddiben cael Senedd i Gymru. 'Taen ni'n cael Senedd go iawn, mi fyddai Sgadan wedi mynd ar streic. Synnwn i ddim na fyddai Sgadan yn casglu ei byddin breifat ei hun o'i chwmpas ac yn ymladd i amddiffyn ei bwrdeisdref frenhinol. O 'nabod trigolion Caer Saint, mi fyddai hi'n cael cryn gefnogaeth hefyd.

Agorodd y drws a daeth Moth i mewn. "Panad, plîs, a thamad o dorth frith... a nac'dw, dwi'm isio mins-pei, diolch."

Aeth at y bwrdd pella efo'i ymborth.

"Sut mae hi blantos?" meddai Moth. Fo oedd yr unig un oedd yn dal i'n galw yn blantos. "Mae hi'n oer iawn tu allan."

"Dyna pam 'dan ni'n ista tu mewn."

Fyddai Moth byth yn cael rhithyn o barch gennym.

Roedd hi'n anodd gwahanu y diwrnod hwnnw. Mi gewch chi rai dyddiau felly pan 'dach chi'n gwbl ddibynnol ar gyfeillgarwch a chwmni eraill. Mae o'n gryfach nag unrhyw gyffur, ac roeddan ni'n methu cael digon ohono'r diwrnod hwnnw.

Pan ddaeth Pill i'r fei o rywle, dyma

benderfynu cael parti yn Noddfa gyda'r nos ac felly y bu. Coblyn o barti oedd o, a minna'n gorwedd ar fy nghefn erbyn diwedd nos yn edmygu nenfwd y stafell fyw yn Noddfa. Roedd 'na weddillion trimings yn crogi o'r to a sbrigyn o uchelwydd, ac roedd Seib yn gariadus iawn. Ddeudodd o ei fod o'n fy ngharu i, a synnwn i ddim ei fod o'n gwbl o ddifri nes y bydda fo'n sobri. Fuon ni wrthi yn siarad am oriau wedyn fel nad oedd ond 'chydig bach o'r nos ar ôl i wahanu'r diwrnod hwnnw a'r un a'i dilynodd.

30 Rhagfyr

Be sy'n gwneud trip i Iwerddon mor eithriadol o ddifyr? Mae'n anodd dweud. Ai'r daith, ai'r pellter, ai'r ffaith ei bod hi'n ynys? Ai'r cwmni ydyw?

Arhosais yn Noddfa nos Fercher ar lawr llofft Her, am hynny o'r noson oedd yn weddill. Roedd hi'n werth gweld ei hwyneb ben bore.

" 'Dan ni'n cael mynd i 'Werddon!" meddai hi, a'i llygaid mor llawn o edrych ymlaen nes y gallwn weld fy hunan ynddynt. Bron na ddywedwn fod rhannu mwynhad Her yn hanner y pleser. Dyna pam rydw i mor hoff ohoni. Mae pob eiliad yn ei chwmni yn guro dyfal, cynhyrfus ar ddrwm bywyd. Byth yn llonydd, byth yn dawel, ond yr ysfa fawr yma i fwynhau bywyd i'r eithaf.

"Dwi'n dod, Her – deud wrthyn nhw 'mod i ar fy ffordd!" gwaeddais yn wallgo ym mhorthladd Caergybi. Sawl gwaith ydan ni wedi gwneud y daith yma efo'n gilydd – a tydan ni erioed wedi cyrraedd ar amser!

" 'Dach chi'n rhy hwyr," meddai'r dyn tu ôl i'r gwydr, yn bygwth atal y tocynnau.

"Plîs – mae hi'n ben blwydd arna i," meddai Her gan edrych i fyw llygaid y swyddog a thoddi ei galon yn syth.

"Ffeindia esgus gwell erbyn tro nesa – roedd hi'n ben blwydd arnat ti ddeufis yn ôl," medda fo. Chwarddodd Her a chipio'r tocynnau. Lwc bod yna wydr rhyngddynt neu mi fasa hi wedi rhoi clamp o gusan iddo yn y fan a'r lle.

Falle bod y ddwy ohonom yn dianc rhag rywbeth. Y funud y mae'r cwch yn gadael porthladd Caergybi, mae 'na don o ryddhad yn llifo droston ni. Falle mai môr-forynion oeddan ni i fod, yn nofio nôl a 'mlaen rhwng dwy wlad ac yn torri calonnau dynion. Chwerthin a chofleidio a charu cyn eu tynnu nhw lawr i'r dyfroedd gyda ni i foddi eu gofidiau.

Falle mai dwy santes ydan ni, yn cael ein siglo hwnt ac yma gan y cerrynt, ein hwyliau yn llawn, a chariad yn genadwri. Rydan ni'n glanio yn Iwerddon ac yn tramwyo'r llwybrau'r ynys yn lledaenu efengyl serch. Yn llawn dymuniadau cariadus, rydan ni'n hwylio draw o Gymru ac yn cyfnewid cusanau.

Falle mai dwy ddrudwen ydan ni, yn hedfan heb unman i orffwys. O'r diwedd, rydan ni'n glanio ar dal y noe ac yn sibrwd cyfrinachau o'r wlad dros y tonnau. Yna cawn ein chwythu gan yr awel i fod yn llatai i gariadon.

Falle mai dwy freuddwyd ydan ni, wedi cael ein bwrw ar wyneb y dyfroedd. Cawn ein cymryd ymaith i rannu gwely gydag eneidiau gofidus, rhown bleser iddynt gan ddiflannu cyn y wawr.

Falle mai dwy hogan nwydus ydym a'n bryd ar gael hwyl, yn chwilio am siawns i ddianc oddi wrth gyfrifoldebau ac undonedd bywyd. Manteisiwn ar y cyfle a gwneud y gorau ohoni tra gallwn.

Un diwrnod byr ydoedd, ond byddai'r atgof ohono yn para am byth. Yn ninas Dulyn, yr un pethau fydden ni'n eu gwneud – cael paned yn Stryd O'Connell a rhoi winc i Jim Larkin, croesi'r Liffey yn ôl ac ymlaen dros yr amrywiol bontydd, heibio'r Drindod gan edmygu'r bensaerniaeth, rhyfeddu at ddalennau Kells nes cyrraedd Grafton. Dwi'n gwybod bod y lle yn llawn fisitors sy'n diferu o gyfoeth, ond does dim ots gen i. Dwi'n licio boddi yng nghanol y stiwdants, cael fy hudo gan gerddorion y stryd ac arogli'r stondinau blodau. Dwi'n licio darllen papur yn *Bewley's*, cael peint yn *McDaid's* a cherdded rownd parc St.Stephens. Cael cinio yn *O'Donoghue's* neu'r *Boxty House* o flaen y tân, crwydro i gyfeiriad Neuadd y Ddinas a chlywed sŵn carnau meirch y chwyldro yn dal i darannu mewn adlais. Ail-greu cyffro'r gwrthryfel ger y Castell a chlywed sŵn y bwledi. Ymlaen i fyny'r allt... sawl Calan ydw i wedi ei ddathlu ger Cadeirlan Christchurch wrth i ddieithriaid gyfarch blwyddyn newydd â chusan? Efo criw, byddai'n rhaid mynd heibio bragdy *Guinness* neu ar fws i Kilmainham. Efo cwmni callach, roedd modd cael perfformiad yn y *Gate* neu'r *Abbey*. Cyn mynd adref, rhaid oedd cael cyfle i loetran rownd *Temple Bar* i weld be oedd yr artistiaid diweddaraf yn ei gynnig. Wedyn, roedd hi'n fater o ffitio cymaint o dafarnau ag oedd modd cyn rhoi ras i ddal y cwch –

114

Mulligans, Kehoes, Stags Head, Brazen Head, Wexford, Slatterys ac *An Beal Bocht.*

Er bod y llwybr yn un digon tebyg, mi fyddai pob taith yn wahanol. Mi fyddai'r cwmni yn amrywio, y dynion yn fwy gwallgo, y merched yn barotach i fwynhau, y cwrw'n llifo'n gynt, y duwiau'n garedicach, y sgwrs yn fwy hwyliog, y tywydd yn fwy garw ac ambell waith câi ein gweddïau eu hateb wrth i storm oruwchnaturiol atal y llongau rhag hwylio adref. Dan amgylchiadau o'r fath, doedd dim i'w wneud ond parhau â'r difyrrwch a gadael i noson gyfan o siarad a thrafod, yfed a dadlau, canu a gwrando fynd heibio cyn toriad gwawr.

Yr un wefr, yr un gorfoledd ges i y tro hwn. Roedd Her yn pwyso arnaf i ffonio Sam ond gwrthod ddaru mi. Yn un peth, roedd y ddannodd yn fy mhoeni a doedd y *Guinness* ddim yn gallu cynnig iachad llwyr. Fyddai dim ots gan Sam gael Her o gwmpas, ond yn naturiol, byddai'n well gen i fod ar fy mhen fy hun efo fo. Mi fyddai'r ddau efo'i gilydd yn ormod. Roedd Her yn llawn syniadau mawr ynglŷn â dal y trên i Gorc a rhoi 'syrpreis' i

Sam, ond mi anghytunais yn chwyrn. Mi fyddai gwneud hynny'n golygu treulio'r Calan lawr fan'no, a doed a ddelo, mi fyddan ni wedi ceisio ail-greu hud y noson ar y traeth. O nabod Sam hefyd, mi fyddai ganddo ei gynlluniau ei hun. Doedd pawb ddim mor hoff o syrpreisys, eglurais.

"Siŵr iawn fod pawb yn licio syrpreis," mynnodd Her. "Dyna lle fasa fo ar ei stôl wrth far yr *Anchor* a merch ei freuddwydion yn cerdded i mewn!"

"A bod yn onest, synnwn i ddim fod Sam eisoes efo merch ei freuddwydion a fi fyddai'r beth ola fasa fo isio ei gweld yn tarfu arno," atebais.

Dyna oedd y gwahaniaeth rhwng Her a fi. Tra byddwn i'n pendroni ynghylch gwneud pethau, mi fyddai Her eisoes wedi eu cyflawni. O ganlyniad, mi fyddai hi'n syrthio dros ei phen a'i chlustiau i drybini yn aml. Mi fyddai hi hefyd, ar adegau prin, yn canfod y wefr eithaf.

Yn y snyg yn un o'r tafarnau, roedd Her yn llawn syniadau am lunio addunedau.

"Dwi'n mynd i gael blwyddyn amrywiol,"

meddai hi. "Dwi ffansi cael lle newydd i fyw ynddo a chychwyn llunio cyfres o grochenwaith cwbl wahanol."

"Mi fedra i dy weld di rŵan efo dy babell ar ganol y maes a 'Cymorth i'r Digartref' arni. Elli di ddim rhoi'r gorau i be wyt ti'n 'neud yn llwyr."

Chwarddodd Her yn ddi-hid. "Be wyddon ni be ydi'n potensial ni oni bai ein bod yn rhoi cynnig ar syniada newydd o hyd? Dydw i ddim isio bod yn hanner cant ac yn dal yn Pat a Pot. Dwi'n ysu am gael gadael y lle!"

"Jest gwna'n siŵr fod gen ti rwbath i gadw'r blaidd o'r drws," meddwn i yn trio bod yn gyfrifol. Roedd Her cryn dipyn yn iau na mi, ac ro'n i fel rhyw olau coch yn rhybudd iddi sut i beidio byw ei bywyd. Roedd rhaid bachu ar y cyfle pan fyddai'n dod – fel gwnaeth hi gyda'r hipi hwnnw. Dechreuodd ganlyn dyn ffair yn Pistyll a dysgu jyglo oedd popeth radeg honno. Torrodd ei galon yn racs ac mi aeth o a'i gi yn ôl i Taunton, lle bynnag oedd fan'no.

"Ro'n i wedi anghofio'n llwyr am Sbeidar. Be ar y ddaear welish i yn hwnna?" gofynnodd.

Lot o mariwana oedd yr ateb i hynna.

Roedd hi wedi anghofio am y rhan fwyaf ohonyn nhw. Fi fyddai'n dod i'w hadnabod orau yn y diwedd p'run bynnag, drwy roi clust i wrando eu gofidiau.

Fedrai Her ddim penderfynu p'run ai mynd i ffwrdd i gael bywyd dinesig oedd hi eisiau neu chwilio am fwthyn ar lan y môr a dal ati efo'r crochenwaith. Ni fedrai benderfynu chwaith p'run ai bod yn hoyw neu yn strêt, neu a oedd hi am gael plentyn neu beidio. Ddeudais i wrthi fod hwnnw ynddo'i hun yn benderfyniad go sylfaenol.

"Mi allwn i gael blwyddyn hoyw a blwyddyn strêt bob yn ail," meddai hi.

"A lle fydda babi yn ffitio i mewn i hynna?"

Wyddai hi ddim. Fedrwn i ddim credu archwaeth Her weithiau – ei harchwaeth am fywyd, am fwyd, am ddiod, am ryw, am amser da, am ddioddefaint, am gyfiawnder, am ddialedd.

"Be ydi dy addunedau di, 'ta, Ennyd?"

"Faswn i'n licio taith i Fecsico i weld eu crochenwaith nhw yno."

"Ddo i hefo ti."

"Na wnei. Fedrwn i mo dy ddiodda di am fwy nag wythnos. Enaid hoff cytûn ydw i isio."

"Rho ganiad i Esra."

– Rho ganiad i Esra. Oedd o mor hawdd â hynna? Oedd – i Her. Dyna oedd yn gwneud bywyd mor fendigedig iddi. Fyddai hi ddim yn oedi eiliad cyn codi'r ffôn. Pam oedd o'n gymaint o broblem i mi? Fyddwn i byth yn gallu ei ffonio rŵan. Wyddwn i mo'i rif ffôn o bellach. Enaid hoff cytûn – fedrwn i ddim meddwl am ddisgrifiad gwell o Esra. Mi fu honno'n berthynas hynod, a wyddai Her ddim mo'i hanner hi. Tybed beth fyddai wedi gallu digwydd?

"Ti'n cofio be ddeudodd o?" meddai hi.

Oeddwn i wedi rhannu hynny efo Her? Ro'n i'n deud llawer gormod wrthi weithiau. A fyddai Her byth yn anghofio 'chwaith, ddim yr hyn yr oedd hi am ei gofio.

'Pryd bynnag wyt ti fy angen i, rho ganiad' – roedd y geiriau wedi eu serio ar fy nghof. Sawl gwaith y bûm i ei angen o, ac yn methu cael yr hyder i gysylltu, hyd yn oed pan oedd ei rif ffôn wedi ei serio ar fy nghof? Beth oedd yn fy rhwystro – ofn, annibyniaeth, gwrthodiad? Dyna un arall oedd yn methu penderfynu a oedd o'n hoyw ai peidio. Yng nghyffiniau Llundain mae o'n byw rŵan, yn cynhyrchu rhaglenni teledu. Dwi'n gwybod gymaint â hynny. Mi ddaru o briodi, ond pharodd y briodas ddim yn hir. Mi fûm i bron â chysylltu ag o yr adeg honno, ond yr oedd gen i ofn iddo feddwl 'mod i'n ceisio ailgynnau'r hyn fu rhyngom. Unwaith eto, ddaru mi ddim codi'r ffôn.

"Dwi am addunedu 'mod i am blannu coedan fala yn yr ardd," meddwn i'n sydyn.

Edrychodd Her yn smala arnaf i.

"Dyna'r adduned mwya radical a gwreiddiol rydw i wedi ei chlywed ar gyfer y mileniwm newydd!"

"Her, gyda'r holl ffwdan mae gweddill y byd yn mynd i'w wneud mi wranta i fod fy syniad i yn un callach na'r rhelyw."

Cytunodd y ddwy ohonom fod y noson ganlynol yn debyg o fod yn un erchyll. Un jamborî fawr fyddai hi i'r cyfryngau i sicrhau na fyddai neb na dim ar draws y byd yn gallu ei hanywbyddu.

"Synnwn i damad na fyddan nhw yno ar dop y Wyddfa 'sti," meddai Her. "Mae o'n fwy na phosib."

"Os byddan nhw, dwi am ei heglu o'no gyntad ag y medra i."

"Fedri di ddim yn hawdd, Ennyd. Ar gopa'r Wyddfa am hanner nos Nos Calan, does gen ti fawr o ddewis 'blaw aros lle'r wyt ti."

"Mi gawn ni glamp o feicroffôn dan ein trwynau yn gofyn sut 'dan ni'n teimlo... 'Nabod fy lwc i, mi fydd y corach plorog 'na o *Radio Cymru* yna..."

"Os ydi o, fo fydd y peth cynta i gael ei rowlio lawr..."

"Ro'n i'n arfer bod reit gynhyrfus ynglŷn â Dydd Calan, erstalwm," cyfaddefais. "Roedd gen i yr ysfa 'ma am ddiwygiad personol ac ro'n i'n edrych ymlaen at gychwyn dalen newydd."

"Dwi'n dal i deimlo felly," meddai Her yn ddiniwed.

"Pryd gest ti 'rioed yr awydd i ddiwygio dy hun?" gofynnais.

"Mae'r awydd yna, ond bod y cnawd yn wan... Sut wyt ti'n teimlo ar ddydd Calan rŵan?"

Ceisais grynhoi fy meddyliau.

"Holi pam nad ydi petha'n newid ydw i. Pam eu bod nhw'n newid yng ngweddill y byd a ddim yng Nghymru," meddwn i.

"Wyt ti isio ateb?"

"Mae gen i amryw ohonyn nhw... Am nad ydan ni o ddifri... am nad ydan ni'n werth ein hachub, am fod gynnon ni ddiwylliant methiant... am ein bod ni wedi gwerthu'n heneidiau... Dewis un ohonyn nhw. A dydw i ddim yn ei gredu fo, Her! Mae 'na rwbath yndda i, y swigen fach 'na o obaith, sy'n gwrthod diflannu. Mae'n rhaid iddo ddigwydd Her – a hynny yn ystod fy mywyd i!"

"Mae Goronwy yn deud mai er mwyn y genhedlaeth nesa yr ydan ni'n ei 'neud o."

"Roedd Esra'n mynnu deud hynna. Mae Malan bellach yn ei ddeud o."

"Dydw i ddim"

"Na finna, Her. Dydi'r bali cenhedlaeth nesa yn golygu dim i mi. Dwi isio ei brofi fo fy hun."

Trodd Her arnaf i yn reit ymosodol.

"Be wyt ti isio ei brofi, Ennyd? Be ydi Cymru Rydd i ti?"

"Yr holl betha rydan ni wedi sôn amdanyn nhw. Diwadd ar y rwtsh 'ma gan Lafur, diwedd ar y bargeinio gwirion am sut asembli sy'n ddigon diwerth a saff i'w chael. Y grym i newid petha go iawn..."

"Ac rwyt ti'n meddwl y caet ti a minna ran yn hynny – hyd yn oed mewn Cymru Rydd?"

Edrychais arni. Y gobaith fod hynny'n bosib oedd yn fy nghadw i ddal ati.

"Wyt ti? Wyt ti'n gweld ein siort ni yn cael tamaid yn fwy o rym?"

Fedrwn i mo'i hateb.

"Chdi a fi yn aelodau seneddol benywaidd mewn Senedd Gymreig... Goronwy yn Ysgrifennydd Gwladol... Seibar a Giaff yn cadeirio cynghorau... Rasmws yn Llefarydd ar Ddiwylliant... Obodeia yn gofalu am y Gronfa Bensiwn... Ianto Geubwll yn Ysgrifennydd Cartref... Pill yn Dywysog Cymru... Wyt ti? Yn dy freuddwydion mwya gwallgo?"

Cymrodd ei hanadl. "Mewn Cymru Rydd, mi wyddost ti cystal â fi mai yr un sleim fydd yn rheoli ag sydd wedi rheoli erioed..."

"Ond ei fod o'n sleim Cymreig," meddwn i

yn llawn gwawd. Ro'n i'n ceisio penderfynu a oeddwn wedi meddwi ai peidio.

"Ti isio gwbod rwbath arall, Ennyd?" Doeddwn i ddim mor siŵr. Roedd geiriau Her wedi codi'r felan arnaf i. "Rydw i'n diolch i'r duwiau na fydda i byth mewn sefyllfa o rym. Dydw i ddim isio bod. Mae pobl yn edrych lawr eu trwynau arna i am 'mod i ar cocên ac yn byw yn Noddfa ac yn gweithio yn Pat a Pot. A drwy'r amser, dwi'n gwbod fod gen i fwy o ryddid yn fy mys bach na'r un ferch fydd yn byw mewn Cymru Rydd. Dwi'n rhydd Ennyd – rŵan!"

Roedd hon yn hen ddadl rhwng Her a fi. Roedd hi wedi rhoi'r gorau i heroin, oedd, ond roedd hi'n credu mewn cocên fel ffordd o fyw. Ro'n i'n mynnu ei bod hi'n gaeth iddo.

"Dydw i ddim hanner mor gaeth iddo fo ag ydi pobl eraill i rym. Cyffur ydi grym, ac mae o'n amhosib dod oddi arno." Faswn i'n taeru ei bod hi'n sobor. "Mae ein bywyd ni, Ennyd – y bywyd ffantastig 'ma rydan ni'n ei fyw yr eiliad hon – yn fwy gwerthfawr na dim. Tasan ni 'mond yn gallu gwerthfawrogi hynny. Gâd i hen ddynion mewn siwtiau ddadla tan

124

Ddydd y Farn. Rydan ni'n rhy brysur yn Byw!"

Roedd Her ar ei gorau. Fuo bron iddi f'argyhoeddi i. 'Blaw fod gen i gymaint o gur pen, mi fyddwn i wedi mwynhau'r perfformiad. Mae'n rhaid fod ysbryd 'rhen Conolly wedi ei meddiannu. Yn bendant, actores ddylai hi fod wedi bod.

31 Rhagfyr

ROEDD HI'N BRAF cael deffro yn fy ngwely fy hun fore Gwener. Gwrthodais y demtasiwn i aros yn Noddfa eto a chael tacsi draw i fan hyn. Ddim bod llawr Noddfa yn gymaint â hynny o demtasiwn. Ro'n i angen moethusrwydd gwely.

A'm llygaid prin ar agor, nofiodd holl atgofion ddoe yn ôl i 'mhen fel tasan nhw'n hen, hen chwedlau. Teimlais Sguthan yn pendwmpian ar fy nhraed, ei chorff yn codi ac yn gostwng yn ysgafn. Faswn i'n lecio meddwl ei bod yn ffond ohonof, ond dwi'n siŵr nad o'n i'n ddim amgenach na'r dodrefn iddi. Dodrefnyn oedd yn ei mwytho a'i bwydo oeddwn i.

Gwagio'r botel ddŵr poeth, cynnau'r radio a chynnau'r tecell fyddai'r pethau cyntaf fyddwn i'n ei wneud bob bore – cyn cael cawod. Mwynheais y cynhesrwydd gwlyb yn fy nhrochi, mwytho 'nghroen â sebon a pherswadio fy hun nad oedd cymaint â hynny ohonof. Mae gen i groen lliw hufen, dwy fron falch a chorff gwydn. Mae o'n gorff iach, yn gorff llawen a dwi'n falch ohono. Be ydi'r ots gen i nad ydw i'n chwe troedfedd ac wedi 'ngherfio'n berffaith? Dwi'n gryf, dwi'n hardd, dwi'n fyw, a dwi'n edrych ymlaen at y dydd.

Wrth sychu 'nghoesau, dwi'n sylwi mor flewog ydyn nhw. Fydda i byth yn eu siafio yn y gaeaf, mae o'n llawer llai trafferthus ac mae'n siŵr fod y blew yn cadw cynhesrwydd. Dwi'n sychu 'ngwallt, yn ei grimpio ac er nad ydi'r darlun gorffenedig yn y drych cweit 'run fath â'r hyn ddylai o fod, mi wnaiff y tro. Tydw i'm yn mynd i unman arbennig heddiw.

Dwi wedi bod yn un dda erioed am godi. Ol reit, roedd hi'n hanner dydd arnaf i heddiw yn cyfarch y diwrnod, ond fel rheol, tydi tynnu fy hun o 'ngwely ddim yn straen o gwbl. Does dim angen clirio'r grât heddiw 'chwaith, gan na chynheais i'r tân ddoe; dwi'n gwagio'r sbwriel ac yn eistedd i gael tamaid o dost. Dwi'n cofio'n sydyn ei bod yn ddydd ola'r flwyddyn.

Mynd draw i dŷ Dyddgu ddaru mi yn y pnawn. Nid 'mod i'n galw hanner mor aml ag y dylwn i. Dwi'n meddwl y baswn i'n ffrindiau garw efo Dyddgu hyd yn oed tasa hi ddim yn chwaer i mi. Wrthi'n rhoi dillad ar y lein yr oedd hi pan gyrhaeddais. Mi gwyliais i hi am dipyn cyn iddi sylwi arnaf. Fel golchwraig dwi'n meddwl am Dyddgu, naill ai'n smwddio neu'n golchi, yn sgwrio, yn socian neu'n rhoi dillad ar lein. Fel 'na faswn inna hefyd debyg tasa gen i bedwar o blant.

"Ennyd!" gwaeddodd arnaf i, cyn sobri. "Be sy'n bod? 'Ti'n cerdded fel tasat ti'n gant."

"Ydi o mor amlwg â hynny?" meddwn i. " Trip i Iwerddon ges i ddoe. Dwi'n frenin i sut ro'n i'n teimlo neithiwr."

Es i mewn i'r gegin a setlo fy hun yn y gadair fawr.

"Haia, Hawys!"

Roedd Hawys yn torri siapiau o does ar y bwrdd.

"Helô, Hawys!"

"Mae Hawys yn brysur," meddai hi, gan fy rhoi i yn fy lle. Pryd ydan ni'n colli'r ddawn i fod yn onest?

"Fedri di aros tan heno?" gofynnodd Dyddgu gan arllwys paned a rhoi platiad o fisgedi o 'mlaen i. "Fasa Gethin a minna wrth ein bodd yn cael cwmni – rhywun dros naw oed, hynny ydi."

"Sori, mae criw ohonon ni'n mynd i fyny'r Wyddfa."

"Yn y tywydd yma? Ti'm yn gall. Maen nhw'n gaddo eira."

"Eira?" gofynnodd y fechan, wedi cynhyrfu'n lân.

"Ddim eto, ond synnwn i ddim y daw o fory..."

"Rydan ni'n cael eira fory," meddai Hawys wrthaf i, gan fodloni eistedd ar fy nglin am dipyn, a'i dwylo yn flawd i gyd.

"Mi fydda i fel dyn eira os na olchi di dy ddwylo," meddwn i, a chwarddodd Hawys yn ddrygionus a rhoi blawd ar fy nhrwyn.

"Wyddost ti nad ydi hi'n cofio eira? Newydd ei geni oedd hi pan gawson ni'r stormydd eira diwetha 'na..."

Dwi'n cofio geni Hawys yn iawn. Fi oedd yn gwarchod gweddill y plant tra oedd Dyddgu a Gethin yn yr ysbyty. Mi ddaru fwrw eira yn drwm ac roedd y plant i gyd yn y gwely efo'i gilydd yn ceisio dyfalu beth fyddai enw'r babi newydd. Roedd Illtyd am ei galw yn 'Eira Wen'. Roedd Hawys wrth ei bodd efo'r stori honno.

Roedd hi'n gyfforddus yng nghartref Dyddgu. Cyn i mi sylwi, cyrhaeddodd y plant adref efo Gethin yn llawn hanesion ac mi ges fy mherswadio i aros i de. Roedd Ifan am i mi weld ei bresantau Dolig, Carys eisiau dangos ei gwisg môr-leidr ac Illtyd am ddangos i mi sut oedd gwneud sgwennu sownd.

"Gadwch lonydd i Ennyd druan," crefodd Dyddgu fil o weithiau, "wedi dod yma i gael gorffwys mae'r gr'adures." Os oedd unrhyw gr'adures eisiau gorffwys, Dyddgu ei hun oedd honna.

Wedi dod adref, mae'n rhaid i mi gyfaddef 'mod i'n teimlo fel taswn i wedi bod drwy'r mangl. Buan iawn y baswn i'n dod i arfer efo cynnwrf a dwndwr plant, yn ôl Dyddgu, ond yr holl bwynt oedd nad oeddwn i eisiau dod i arfer ag o. Dwi'n meddwl ei bod hitha, Dyddgu, yn y cynllwyn benywaidd 'ma i 'mherswadio i i gael plant. Roedd pawb yn ei weld o'n cymaint o biti gan fod 'Ennyd mor dda efo plant'. Doeddan nhw ddim fel tasan nhw'n deall fod licio cwmni plant a chael plant eich hunain yn ddau beth cwbl wahanol. Bod yng nghwmni plant oeddwn i'n ei fwynhau, nid cael awdurdod drostyn nhw.

Cyn i mi adael tŷ Dyddgu, mi gafodd Hawys fentro allan efo fi yn ei slipars i sbecian os oedd 'na eira.

"Dacw fo" meddai hi, "fyny fan'cw."

Roedd hi'n noson ola leuad fendigedig, ond welais i 'run llwchyn o eira.

"Dwi'n ei weld o'n dod i lawr rŵan," meddai hi. "Yli!"

Fe'i codais hi yn fy mreichiau iddi gael bod yn nes at y nos, a dal i daeru wnaeth hi fod 'na eira ar y ffordd. Rhwng yr holl sôn am Santa a'r ceirw ac angylion yn y wybren, synnwn i ddim fod y fechan wedi mwydro'n lân. Teimlais ei boch feddal yn erbyn f'un i, a throdd i edrych arnaf.

" 'Dan ni'n mynd i gael blwyddyn newydd sbon fory," meddai hi.

Fedrwn i ddim llai na theimlo ei bod wedi rhannu cyfrinach fawr â mi.

* * *

Y noson honno, doeddwn i ddim yn disgwyl Her draw tan rhyw un ar ddeg, ond mi ddaeth draw rhyw ddwy awr yn gynnar am ei bod yn teimlo mor gynhyrfus. Mi warion ni'r amser yn hel ein boliau ac yn gwylio teledu.

Hanner nos oedd y cyfarfyddiad mawr wrth droed yr Wyddfa, "A does *fiw* inni fod yn hwyr – deall?" meddwn i.

Cofiais yn sydyn 'mod i wedi anghofio nôl y wats o siop Dic Doc. Doedd Her ddim yn trafferthu efo amser, mi fyddai'n rhaid mynd â'r cloc larwm efo ni.

"Mae gen i dri phâr o 'sanau, teits a dau drowsus a thua phedwar haen ar y top. Wyt ti'n meddwl y bydda i'n ddigon cynnes?" gofynnodd Her.

Ro'n i wedi fy lapio nes 'mod i'n edrych ddwywaith fy maint, ac yn cael trafferth i symud fy mreichiau yn hwylus – taswn i'n teimlo fel symud fy mreichiau, hynny yw.

"Roedd o'n syniad da pan gawson ni o," meddwn i, "ond y peth ola dwi isio'i 'neud rŵan ydi gadael y tŷ 'ma." Roedd y tân yn dal i losgi yn y grât a'r cyfan mor gysurus.

"Ty'd yn dy flaen – ti'n dod allan efo fi heno

'ma os ydi o'r peth ola wnei di. Mae hi'n rhy hwyr i drefnu unrhyw adloniant arall bellach."

"Fedrwn i ddod i Ben y Pas, ond does gen i'm digon o nerth i gerddad i'r top – wir yr," cyfaddefais. Nid bod yn ddiog o'n i. Ro'n i wirioneddol yn teimlo fel brechdan.

"Dydi gweld y wawr yn codi yn Pen y Pas ddim cweit 'run fath. Fydda waeth i ti edrych arno fo o dy wely ddim."

Roedd hi'n deud y gwir. Gweld gwawr mileniwm newydd – faswn i byth yn cael y cyfle eto. Ond o lle'r o'n i am gael y nerth?

"Rho'r cawl yn y fflasg a thy'd i ista – mae gynnon ni amser i wylio diwedd y rhaglen yma cyn mynd," meddai Her.

Wn i ddim pam ro'n i'n trafferthu dadlau efo Her o gwbl. Roedd hi wastad yn haws gwrando arni ac ufuddhau. Os oedd Her wedi penderfynu rhywbeth, dyna fyddai'n digwydd. Fy syniad i oedd o'n wreiddiol p'run bynnag. Dyna oedd waethaf. Es drwodd i'r gegin.

Bag... fflasg... menyg... cloc larwm...beth arall? Arllwysais y cawl i'r fflasg a cheisio hel Sguthan oddi ar fy nghoesau. Doeddwn i byth wedi rhoi bwyd iddi... Ro'n i'n cael trafferth cofio popeth...

Radag yna y digwyddodd o.

Teimlais gyllell yn cael ei gwthio drwy 'nghalon i, cael ei throi yn hegar ac yna'n saethu drwy fy mraich i a dianc.

Cefais fy nharo yn fy mhen gan y llawr.

Malodd y fflasg yn ufflon a heglodd Sguthan am ei bywyd; ro'n i wedi 'nhrochi mewn cawl berwedig.

"Ennyd!"

Ro'n i'n cael fy ngwasgu'n belen fach a 'mhengliniau yn cyffwrdd fy nhalcen wrth i law anweledig gau yn ddwrn amdanaf.

"Ennyd?"

Teimlais leino oer y gegin ar fy moch. Mi fedrwn weld yn glir o dan yr oergell.

Daeth i'm cof y grafanc ddychrynllyd honno ddaeth drwy ffenest tŷ Teyrnon Twrf Liant. Nos Galan oedd hi bryd hynny, a chafodd ebol ei ddwyn gerfydd ei fwng. Roedd y grafanc wedi dod i'm cyrchu inna.

"Ennyd!... Ennyd..."

Roedd llais cyfarwydd ffrind agos wrth fy ymyl.

"Ennyd, deud rwbath…" Gafaelodd y ffrind yn fy llaw a mwytho fy ngrudd a theimlwn ei hanadl wrth fy nghlust. Pwysodd ei phen ar fy mron a theimlais wallt pigog yn cosi fy ngên.

Yna gadawodd fi, a fedrwn i ddim codi ohonof fy hun. Doeddwn i erioed wedi gweld y gegin fel hyn o'r blaen. Y golau llachar yn tywynnu yn syth arnaf i, y silffoedd llestri uwch fy mhen a'r sosbenni yn crogi ar y wal.

Dychrynnais wrth deimlo gwaed cynnes yn wlyb dan fy mhen ond sylwais ar ddarnau o foron a phys a phasta ynddo.

Diolch byth, daeth y ffrind clên yn ôl a fy lapio mewn gorchudd cynnes a mwytho fy wyneb yn annwyl eto. Dim ond iddi hi fod wrth fy ymyl ac mi fyddwn yn iawn. Ond wrth i mi fynd a dod rhwng realiti roedd hi yn llawn gofid ac yn fy llenwi efo ryw Ofn mawr. Y cwbwl fedrwn i ei glywed oedd fy enw'n cael ei adrodd drosodd a throsodd, a pharablu'r teledu yn y pellter.

Teimlais bresenoldeb arall yn fy ymyl yn stelcian yn ansicr. Pan gyffyrddodd fy llaw, roedd o'n flew cynnes ac yn Sguthan ac roedd fy myd yn gyflawn. Cefais obennydd dan fy mhen oedd yn llawer esmwythach na'r leino gwlyb ac ro'n i'n berffaith fodlon wrth fynd i gysgu.

"Fyddan nhw ddim yn hir, Ennyd."

Ond pwy sydd ar ôl i ddod? Pwy fedr fod yn eisiau a ninna'n drindod mor ddedwydd? Pam na wnaiff fy mreichiau godi imi gael eu cofleidio – Her a Sguthan a fi? Ennyd ydw i a Her ydi hi, fy ffrind gorau. Arhoswch yma, does dim eisiau mynd. Does dim eisiau neb arall ond y ni. Tydi Sguthan byth wedi cael ei swper a dwi'n siŵr fod yna rywbeth ro'n i ar ganol ei wneud.

Pan oedd popeth yn berffaith ddedwydd, daeth mellten arall a'm taro yn y canol a threiddio i'r byw. Fe'm holltodd, a chwalwyd fi'n chwilfriw.

1 Ionawr, 2000

Dros y byd i gyd roedd clychau'n canu – ym mhob tref ac ym mhob dinas. Seiniai'r clychau wawr wen, olau, blwyddyn newydd, canrif lân, mileniwm cyffrous llawn gobaith.

Cloch wahanol ganodd yng nghartref fy rhieni. Cloch i ddweud wrthynt am ddod i nôl eu merch ar frys.

"Dwi'n ofni ei fod o'n ddifrifol iawn," meddai Her ar y ffôn.

Erbyn hyn, ro'n i'n gwybod ei bod hi'n rhy hwyr. Rydach chi'n gwybod pan ydach chi wedi marw. Mae 'na rywbeth ym mêr eich esgyrn chi'n deud wrthoch chi. Neu mae yna ddiffyg ym mêr eich esgyrn yn cyfleu'r wybodaeth i chi. Dwi'n gwybod nad ydi'n gymhariaeth weddus, ond mae o fatha system gwres canolog yn torri. Tydach chi ddim yn ymwybodol o'r sŵn gymaint â hynny pan fo'r system yn gweithio, dim ond rhyw furmur tawel cyson sydd gennych yn brawf fod dŵr poeth yn mynd drwy'r peipiau. Mae o'n symud, a gwres yw'r canlyniad. Rhywbeth

137

digon tebyg ydi taith gwaed drwy'r gwythien-nau a bwyd yn yr ymysgaroedd. Mae'r gwaed yn taenu cynhesrwydd, ac mae'ch stumog chi'n gwneud synau i brofi bod bwyd yn cael ei dreulio. Roedd hynny i gyd bellach wedi mynd. Wedi dod i stop. Wedi peidio. Doedd dim yn symud o'm mewn. Roedd hi'n dawel fel y bedd.

Pam 'mod i'n dal yn ymwybodol 'ta? Ro'n i wedi meddwl erioed am farw fel un glec fawr a dyna fo. Dyna ddangos cyn lleied y gwyddon ni amdano. Tydi o'n ddim syndod. Does yna neb wedi byw i ddeud yr hanes. Llawer i un wedi dychmygu'r profiad, wedi ei ailadrodd, wedi ceisio sgwennu amdano. Ond cofnod ail-law ydi o bob tro. Does yna ddim byd tebyg i'r profiad go iawn.

Daeth fy rhieni o rywle ac edrych i lawr arnaf. Welais i 'rioed yr olwg yna ar eu hwynebau o'r blaen. Ond wedi meddwl, welson nhw 'rioed mohonof i wedi marw o'r blaen. Cyffyrddodd fy nhad yn fy ngarddyrnau, ac yna, gyda chryn ymdrech, fe'm cododd a'm cario drwodd i'r stafell fyw gan fy ngosod ar y soffa. Ychydig eiliadau y parodd y profiad, ond aeth â fi'n ôl ddegawdau. Doedd o ddim wedi 'nghario fi felly gyda'r fath dynerwch ers pan o'n i'n ferch fach.

Roedd Mam yn wylo yn y gadair o fy mlaen, a Her wrth ei hochr yn edrych yn anghyfforddus. Ro'n i wedi ei gwneud hi go iawn tro yma – wedi pechu am byth. Fyddwn i byth eto yn gallu gwneud dim mor ddrwg â hyn – byth. Marw o flaen eich rhieni ydi'r ffordd ffieiddiaf o'u brifo. Mae o'n groes i drefn Natur, i drefn dyn – a dynes – a Duw. Dydi o ddim i fod.

Yng nghefn fy meddwl, ro'n i'n hanner disgwyl cerydd nes i mi sylweddoli mor hurt oedd y syniad. Fyddwn i byth, byth eto yn cael cerydd ganddynt. Fyddan nhw byth eto yn edrych arnaf i yn y ffordd ddilornus honno. Fyddwn i byth eto yn gorfod edrych ar y siom a'r dadrithiad hwnnw yn eu llygaid trist.

"Sut gall o fod yn drawiad?" gofynnodd Mam. "Fedr o ddim bod – ddim yn ei hoed hi." Dwi'n siŵr fod Mam yn dal i feddwl amdanaf yn rhyw hoedan ugain oed.

"Mae o'n digwydd, Menna, mae o'n gallu digwydd," atebodd fy nhad. Wel wrth gwrs ei fod o. Tydw i'n brawf perffaith o hynny?

Her oedd y gallaf. Ddeudodd hi 'run gair.

Aeth neb i fyny'r Wyddfa y noson honno yn y diwedd. Mi ganodd y ffôn a chlywais Her yn egluro 'mod i wedi marw. Ro'n i'n meddwl am y siom ro'n i wedi ei achosi iddyn nhw i gyd. Mae'n rhaid eu bod wedi ffonio o Lanberis i holi lle'r oeddan ni, ac wedi cael yr ateb annisgwyl hwnnw na fyddan nhw byth yn fy ngweld i eto. Am ufflon o ffordd i ddifetha eu Calan. Mi ffoniodd Her bobl eraill hefyd i ddeud. Ro'n i'n poeni faint o bobl ro'n i yn gyfrifol am ddifetha eu Calan. Ond roedd yn rhaid rhoi gwybod iddyn nhw. Hefyd, roedd yn dda cael cadarnhad gan rywun arall, yn lle 'mod i'n hel meddyliau ar fy mhen fy hun. Her oedd y gyntaf i mi ei chlywed y noson honno yn yngan y gair 'marw', ac mi gafodd ei ailadrodd ganddi droeon. Ar ôl iddi ddeud y gair, roedd o fel petai o'n swyddogol.

Ro'n i wedi bod yn un ddrwg erioed am hel meddyliau ar hyd yr adeg ro'n i'n fyw. Cur pen yn golygu tiwmor, chwydd yn golygu tyfiant, colli misglwyf – babi, dolur gwddw – llid yr ymennydd, oerfel – gangrin. Mi fyddwn i'n treulio dyddiau yn cynllunio fy angladd fy hun cyn ffonio doctor – dim ond i ganfod nad oedd dim byd mawr yn bod arnaf i wedi'r cwbl. Rŵan, dyma fi'n talu'r pris am fy ffolineb. Roedd rhywbeth gwirioneddol ddifrifol wedi digwydd i mi. Ro'n i wedi marw.

Daeth teimlad cysurus iawn i mi wedyn. Fyddwn i byth eto yn sâl – byth. Fyddwn i byth eto yn dioddef o'r annwyd neu'r ffliw, pigyn clust, cur pen, poen cefn, dolur gwddw, dolur rhydd, bod yn rhwym, poenau misglwyf, camdreuliad. Ro'n i'n rhydd o bob afiechyd – ro'n i'n rhydd o boen! Bryd hynny y cofiais am y ddannodd. Teimlad rhyfedd oedd methu symud fy nhafod i chwarae â'r dant, ond yn sicr, doedd yna ddim unrhyw beryg o ddannodd byth mwy. Fyddai ddim angen deintydd eto, dim pigiadau.

Cymerais stoc sydyn o'r sefyllfa. 'Runig beth oedd marw wedi ei olygu i mi oedd fy mod yn methu siarad ac yn methu symud. Dyna'n unig ydoedd. Ro'n i wedi cael cadw y gweddill o'm synhwyrau. Doedd hi ddim yn fargen mor wael â hynny. Y rhwystredigaeth pennaf oedd gwylio 'nheulu mewn galar a methu â chyfleu'r ffaith iddynt fod pethau'n llawer gwell nag y tybient.

Stopiwch grio Mam, da chi. Os ydach chi eisiau bod o gysur i mi, rhowch fwyd i Sguthan druan. Mae hi'n mewian ers hydoedd, ac nid mewian mewn gofid mae hi. Rhywun gymryd sylw o'r gr'adures! Os bydd hi'n llwgu am llawer hwy, mi fydd hitha hefyd wedi marw.

"Oedd ganddi Feibl, wyddoch chi?" gofynnodd 'Nhad. Gobeithio nad oedd o am beri embaras i mi o flaen Her.

"Pam?" gofynnodd hitha.

"Meddwl y baswn i'n darllan rhyw 'chydig adnodau..."

Peidiwch 'Nhad, plîs...

" 'Dach chi'n meddwl basa hi isio hynny?" gofynnodd Her.

"Er mwyn fy hun mwy na neb arall," eglurodd.

"Welais i 'rioed mohoni efo Beibl..."

Mae 'na un yna, Her. Mae o ar waelod y

142

silff lyfrau – dan yr albwms lluniau. Ol reit, tydw i ddim wedi agor o ers cantoedd, ond mae o yna. Dwi'n gwrthod cael ei wared o am 'mod i'n teimlo… yn teimlo'n beth? – yn saffach? Ia, debyg. Mae o'n rhywbeth fedar gadw ysbrydion drwg draw. Rhyw insiwrans yn erbyn… yn erbyn… marw a 'ballu. Wel, weithiodd hwnna ddim, naddo?

"Dim ots," meddai 'Nhad. "Dim ond syniad oedd o…"

Mi ddylai fy meddwl inna fod ar bethau mwy aruchel hefyd. Debyg y dyliwn i adrodd salm neu bader neu rywbeth yn lle meddwl am ddannodd. Ond roedd yn rhaid i mi gyfaddef mai diffyg ddannodd oedd yn rhoi'r hapusrwydd mwyaf i mi ar hyn o bryd. Roedd yna faich mawr fel petai wedi ei godi oddi ar f'ysgwyddau. Wrth gwrs, nid y ddannodd yn unig oedd o, ond bob ffurf arall ar boen oedd i'w gael yn y byd. Roedd hyd yn oed marw ei hun wedi colli ei golyn. Doedd o ddim yn beth i'w ofni bellach. Roedd o wedi digwydd, wedi taro ac wedi mynd heibio. Fydda fo byth yn gallu digwydd i mi eto… Ro'n i'n teimlo fel hedfan.

Pryd gefais i'r fath wefr o ryddhad o'r blaen? Tebyg i ba brofiad oedd o? I adael ysgol, debyg gen i. Erbyn diwedd y cyfnod hwnnw, ro'n i'n cyfri'r dyddiau nes byddai 'mysedd i'n lân o inc, lle byddwn i'n cael rhwygo'r arfwisg nefi oddi amdanaf a chael gwared o ogla disinffectant mewn coridors. Fedrwn i ddim credu bod byd tu draw i hynny, bod y fath Ganaan yn bosib. Byd heb ysgol! Byd lle y cawn y rhyddid i reoli fy nhynged fy hun! Byd o adael cartref a sefyll ar fy nhraed fy hun. Dyna oedd ystyr gwefr i lances ddeunaw oed. Rŵan, ro'n i ar drothwy profiad mwy gwefreiddiol fyth. Wyddai neb beth oedd o'm blaen. Er gwaethaf doethineb canrifoedd, hon oedd y gyfrinach eithaf.

"Mynd â hi adra rŵan ydi'r gora inni, Menna," meddai 'Nhad 'mhen hir a hwyr. Ro'n i wedi rhoi'r gorau i wrando arnynt ers meityn, roedd eu sgwrs yn codi'r felan arnaf i.

Cododd 'Nhad fi yn ei freichiau eto a'm cludo allan dros y trothwy tua'r car. Teimlwn wres ei wasgod wlân ar fy wyneb. Doeddwn i erioed wedi teimlo mor saff. Pam rŵan,

144

'Nhad? Pam gadwoch chi draw oddi wrthaf i mor hir? Pam na fyddach chi unwaith, wedi i mi dyfu, wedi gafael amdanaf a'm gwasgu'n dynn? Bellach, mae hi'n rhy hwyr. Faswn i'n gwneud rywbeth am gael aros felly yn ei gôl am byth. Rywsut, cyhyd ag yr o'n i yn ei freichiau o, ro'n i'n saff. Fydda fo ddim yn gadael i ddim drwg ddigwydd i mi. Teimlais bluen eira ysgafn yn sydyn ar fy nhrwyn. Mi fyddai Hawys uwch ben ei digon yn y bore.

Wrth i'r car adael y tŷ, cefais gip ar Her yn sefyll yno, mewn llesmair, yn edrych arnom yn mynd. Diolch byth, roedd Sguthan yn ei breichiau. Rhoddodd gysur i mi fod rhywun yn gofalu amdani. Dim ond wedi i'r tŷ fynd o'r golwg y sylweddolais na fyddwn i byth eto yn ei weld. Doeddwn i ddim wedi gwneud unrhyw drefniadau i neb edrych ar ei ôl tra byddwn i i ffwrdd. Ennyd, dwyt ti ddim yn dod yn ôl. Nac ydw. Dydw i ddim yn dod yn ôl. Pwy gaiff y tŷ 'ta? Doeddwn i ddim wedi sgwennu dim math o ewyllys. Un felly fûm i erioed, anobeithiol efo ffurflenni. Druan o bwy bynnag fyddai'n gorfod ceisio canfod gweithredoedd ac insiwrans a ballu. Roedd fy mhapurau i mewn bron cymaint o lanast â rhai Rasmws.

Doedd y bai ddim i gyd arnaf i. 'Ches i ddim rhybudd. Ro'n i wedi marw mewn modd anffodus iawn – i berson blêr, beth bynnag. Beth gefais i felly – trawiad? Sawl un ges i? Mwy nag un? Doeddwn i ddim yn siŵr. Dwy efallai – achos rydw i'n cofio'r gyntaf. Mae'n rhaid fod yr ail wedi 'ngorffen i. Taswn i ond wedi cael cyfnod o wythnos rhwng y ddwy, mi allwn i fod wedi gadael pethau mewn llawer gwell trefn.

Marw o drawiad. Roedd hynny'n annisgwyl. Dwi'n gwybod fod hynny yn natur trawiad, ond nid dyna ro'n i'n feddwl. Annisgwyl i'm cymeriad ydoedd. Ddaru mi erioed feddwl amdanaf fy hun fel person fyddai'n marw o drawiad. Roedd fy ffrindiau wedi taeru erioed mai gyrru fyddai achos fy niwedd. Mynnent nad o'n i'n ffit i fod tu ôl i olwyn. Roedd Her a minna wedi dweud erioed na fyddem yn marw o henaint, mi fyddai hynny'n rhy ddiflas o'r hanner. Roedd Her wastad yn dychmygu ei hun yn marw mewn modd dramatig iawn – yn cael ei lluchio – neu yn lluchio ei hun – o ben clogwyn i ddyfnderoedd yr eigion. O 'nabod Her, mi fyddai hi'n llawer tebycach o luchio rhywun arall i'r môr. Trawiad ar y galon – roedd o'n ffordd reit ddramatig o fynd, ond doedd fawr o ramant yn ei gylch. Efallai i mi farw o dorcalon, ond go brin. Ro'n i'n gr'adures rhy hapus i hynny. Tybed beth fyddai ymateb Sam? Mi allwn i smalio i mi farw o dorcalon ar ei gownt o, ond newidiais fy meddwl yn sydyn. Dim ond porthi ego dyn fyddai syniad o'r fath.

Fy mai i oedd o, a neb arall. 'Chymerais i fawr o ddiddordeb yn fy nghorff a llai fyth o ddiddordeb mewn ymarfer. Rhy ffond o fwyta oeddwn i. Mae'n rhaid fod fy mhwysau wedi rhoi gormod o straen ar y galon. Gallwn ddychmygu fy noctor yn gwenu'n hunanfoddhaus gan ddweud, "Ddeudais i mai fel hyn y byddai hi". Er, roedd 'na ochr olau hyd yn oed i hyn. Fyddwn i byth eto yn gorfod trio colli pwysau. Ro'n i wedi colli'r joli lot.

Daeth y daith car i ben yn llawer rhy fuan. Dylwn fod wedi cymryd mwy o ddiddordeb ynddi, o ystyried mai honno oedd fy nhaith car olaf. Cymerodd fy nhad fi i'w freichiau

147

eto a mynd â fi i'r tŷ, i fyny'r grisiau ac i'r llofft gefn. Ro'n i'n synnu ei fod yn dal yn ddigon cryf i 'nghario – falle iddo gael help oddi uchod. Mi geisiodd Mam ei helpu, ond doedd hi'n dda i ddim. Roedd hi'n bron mewn gwaeth cyflwr na mi.

Dyna rhywbeth a barai i mi deimlo'n rhwystredig tu hwnt. Fedrwn i yn fy myw â gorfodi fy hun i sylweddoli difrifoldeb y sefyllfa. Mewn gwirionedd, doeddwn i ddim yn credu 'mod i wedi marw. Roedd y cyfan yn rhy abswrd i fod yn wir. Camgymeriad anffodus ydoedd. Roedd rhywbeth mawr wedi digwydd i mi ac ro'n i'n ddifrifol wael, doedd dim gwadu hynny. Roedd fy rhieni wedi dod i'm cyrchu ac roeddan nhw am alw'r meddyg. Roedd hynny'n gwneud synnwyr. Ar yr eiliad hon, roedd fy nhad yn fy nghario i fyny'r grisiau – gyda chryn ymdrech – i'm rhoi mewn gwely. Ro'n i'n ôl yn hogan fach, wedi taith hir yn y car, yn cael fy nghario mewn trwmgwsg i'r gwely.

"Well tynnu ei dillad cyn i'r doctor ddod," meddai 'Nhad, a dechreuodd fy rhieni fy nadwisgo.

"Sawl haenen sydd ganddi amdani?" gofynnodd wedyn wrth gyrraedd y drydedd siwmper. "Mae'n rhaid ei bod hi'n oer yn y tŷ 'na…"

"Cyfarfod rhywun oeddan nhw i fynd allan."

" 'Radeg yna o'r nos?"

"Roeddan nhw'n griw digon od."

"A fydda hi byth yn deud dim wrthan ni…"

Yn y diwedd, ro'n i'n gwbl noeth, ac yn ceisio meddwl faint oedd fy oed i pan ddadwisgodd fy rhieni fi ddiwethaf. Gyda'i gilydd fe roesant un o gobenni glân Mam amdanaf. Teimlwn fel taswn i'n gant ynddi. Dipyn o syndod oedd y ffaith iddyn nhw beidio fy rhoi i rhwng y cynfasau ond yn hytrach ar gwrlid y gwely gyda blanced ysgafn drosof. Falle nad oedd Mam eisiau baeddu cynfasau.

Aeth y ddau allan o'r stafell ac ymhen dipyn daeth 'Nhad yn ôl efo llyfr yn ei law. Yna dechreuodd adrodd, "Efe a ddychwel fy enaid… Ie, pe rhodiwn ar hyd glyn cysgod angau, nid ofnaf niwed: canys yr wyt ti gyda mi…"

Doeddwn i ddim eisiau clywed geiriau felly.

Roeddan nhw'n codi ofn arnaf. Doedd y Beibl ddim yn arfer cael unrhyw effaith arnaf, ond bellach roedd o fel petai o'n ceisio dweud rhywbeth wrthyf. Gwthiais y mater i gefn fy meddwl.

Yna gwnaeth 'Nhad y peth odiaf un. Fe ganodd gân i mi. Hwiangerdd ydoedd, un a arferai ganu i Dyddgu a minna yn blantos cyn inni fynd i gysgu. Doedd ganddo fawr o lais, a fedra fo ddim cofio'r geiriau'n dda, ond doedd dim ots. Ar yr union adeg yna, roedd o'n fwy o gysur i mi na dim. Gydag ychydig o nodau mewn trefn arbennig, cludodd fi'n ôl i amser pell i ffwrdd, pan oeddwn i'n ddiddos dan y cynfasau, pan oedd Duw yn ei le a phopeth yn dda efo'r byd, pan oedd Dyddgu drws nesaf i mi yn fur rhag bob storm, Mam yn y gegin yn sylfaen ddibynadwy a 'Nhad yn ddŵr cadarn i gadw pob drygioni draw. Cefais fy atgoffa o awyrgylch y gân hefyd, y darluniau a gai eu paentio ar wal fy meddwl yn y gwyll cyfforddus hwnnw cyn trwmgwsg. Wrth ail-glywed y gân, wedi'r holl flynyddoedd, ro'n i eisiau i 'Nhad aros yno'n gwmni i mi, fy ngharu fel petawn i'n dal yn fyw, a gwrthod gadael i unrhyw un

150

fynd â mi oddi yno. Wn i ddim am ba hyd y buo fo'n eistedd yno, ond ar y diwedd cododd, cusanodd fi'n betrusgar ac aeth allan gan gau'r drws. Honno oedd y gusan olaf i mi ei chael.

Efallai mai breuddwydio roeddwn i. Efallai 'mod i ar gyffur cryf iawn. Falle y byddwn i'n deffro mewn dipyn ac yn wylo dagrau hallt o lawenydd. Oedd bosib bod mor ymwybodol â hyn mewn breuddwyd? Wrth gwrs ei bod. Breuddwyd swreal, gwbl amhosib i'w hanghofio, y profiad mwyaf gwallgof i mi ei gael erioed, stori y byddwn yn ei hadrodd i'm ffrindiau tra byddwn i byw. Jest gobeithio y byddai rhywun clên efo mi pan ddeffrown. Doeddwn i ddim eisiau dod allan o hyn a chanfod 'mod i go iawn yn nhŷ fy rhieni a hwythau'n gofalu amdanaf.

Pan oleuwyd y stafell y tro wedyn, roedd Doctor Williams yno, ac mi gymerais hynny fel arwydd da. Fyddai dim diben i hwn ddod os oeddwn wedi marw. Falle ei fod o am wneud rhywbeth o werth am unwaith a cheisio fy ngwella. Roedd yn gas gen i Doctor Williams a gweddill aelodau ei broffesiwn. Mi fasa'n haws gen i fynd at goelddoctoriaid, bydda wir. Ddaru o mo 'nghyfarch i na dim, dim ond siarad efo fy rhieni a holi'r hanes. Dyn difanars fuo fo rioed.

Pwysodd a phwniodd fy nghorff fel taswn i'n weddillion anifail ar gownter cigydd. Gafaelodd yn fy ngarddwrn a gwrandawodd yn astud ar ddim byd.

"Mi lenwa i'r 'stifficet i chi," oedd y cyfan ddeudodd o, ac mi chwalwyd pob gobaith yn ufflon. Mewn dim, roedd ganddo ddarn o bapur yn ei law a ffowntenpen. Roedd o'n f'atgoffa o holi sensitif heddlu wedi iddynt eich 'restio.

"Place of death?"

"Nymbar 2, Hendy Terrace, Rhostir."

"Ennyd Fach... – *Female* – ... *Time?*"

"Hanner nos."

"Union?"

"Ia..."

"1999 ydi hynny felly. Mi fydda fo'n 2000 fel arall, 'dach chi'n gweld. Dyna pam mae'n bwysig cael yr amser i'r eiliad."

Roedd hwn yn amlwg wedi cael addysg.

"Occupation?"

"Be ddeudan ni 'dwch... mae *'painter'* yn

swnio'n od... addurno crochenwaith oedd hi..."

"... *Decorative painter. Age?*"

"*Thirty nine.*"

"*Cause of death... Cardial failure...* A fedra i ddim deud bod hynny'n fy synnu. Mi rhybuddiais i hi fwy nag unwaith... Mi wneith eich arbed chi rhag PM o leiaf. Dyna ni. Ac mae'n rhaid i mi roi eich enw chi fel yr *informant.*"

Thenciw Wilias, thenciw mawr. Dyna i chi'r Gwasanaeth Iechyd Cenedlaethol yn ei holl ogoniant. Es i ddim ar ofyn Doctor Williams yn aml iawn. A phan own i ei angen o, doedd ganddo fawr o fynnadd. 'Problemau merched' oedd ei derm dilornus am bob cwyn oedd gen i. Be arall fyddach chi'n ddisgwyl i mi gael, ddyn? Rŵan, a minna angen ei gydweithrediad a'i gydymdeimlad yn fwy nag erioed, dyma'r driniaeth a gaf.

Dwi'n amau ei fod o wedi gwneud camgymeriad mawr. Ddaru o ddim fy archwilio yn ddigon trylwyr, a cha i ddim post-mortem. Dwi'n meddwl mai Parlys Eithafol sydd arnaf. Mor eithafol nes ei fod wedi parlysu 'nghalon, ond dydi hynny ddim yn rheswm i ildio mor hawdd. Ella nad oedd Wilias am iddyn nhw ffeindio 'mod i'n dal yn fyw. Biti na fyddwn wedi cael y cyfle i lenwi'r dystysgrif fy hun. Byddwn wedi sgwennu, "Achos marwolaeth: doctor anghymwys" – ac mi fyddwn wedi ei erlid o am fethu rhoi ffurflen Gymraeg i mi. Mae'n siŵr mai dyna pam nad oedd angen llofnod yr ymadawedig ar dystysgrif marwolaeth. Byddai gormod o bobl eisiau setlo'r sgôr. Gobeithio caiff y matar fynd o flaen Tribiwnlys ac y bydd yr hen Wilias yn cael ei enw wedi ei dorri oddi ar *'GP's Roll of Honour'* neu beth bynnag sydd ganddyn nhw. Nid bod hynny'n fawr o gysur i mi os byddaf wedi 'nghladdu yn y cyfamser.

Llanwyd y dystysgrif gyda sêl bendith fy nhad. Mae wedi canu arnaf i rŵan. Ac mae o'n rhoi dimensiwn cwbl newydd i'r *'giving away'* mae tadau i fod i'w 'neud efo'u merched. Dyna sut ddyn fuo 'Nhad i erioed – gormod o barch at bobl mewn awdurdod. Mi fyddai'n haws ganddo fo gredu'r doctor na 'nghredu i.

– Dwi ddim wedi marw, 'Nhad.

154

– Dawal rŵan, Ennyd – Doctor sy'n gwybod ora...

Dyna fydda'i ateb o cyn wirad â'r dydd.

"Cadwch chi hon tan y bore rŵan – fydd Mr.Thomas ei hangen hi," meddai'r doctor gan drosglwyddo'r dystysgrif. Ddeudodd neb beth fyddai'n digwydd yn y bore nac egluro pwy ar wyneb y ddaear oedd Mistar Tomos.

Edrychais ar Doctor Williams gyda hynny o gasineb oedd gen i. Rhoddodd ei gôt amdano, a helpodd 'Nhad o i roi ei freichiau trwy'r llewys. Roedd yn edrych yn union fel petai'n helpu dienyddiwr i wisgo amdano cyn ei dasg. Mae'n rhaid fod y corcyn wedi sylwi ar fy edrychiad ac mi fynnodd gael y gair olaf.

"Gewch chi gau ei llygaid wedi i mi fynd."

"Diolch yn fawr i chi, Doctor," meddai Mam... Diolch yn fawr iawn Doctor. Sori am ddifetha eich Calan chi.

Ond o leia roedd o wedi gadael rhywbeth i mi. Ro'n i wedi cael Stifficet am Farw. Fûm i erioed yn lladmerydd cryf dros ffurflenni yn ystod fy mywyd. Mi ymgyrchais yn ddiflino yn eu herbyn gyda llawer mwy o argyhoeddiad nag a ymgyrchias dros ffurflenni Cymraeg. Daeth Giaff â mi i'r casgliad mai yn Saesneg y dylai'r mwyafrif o ffurflenni fod. Doedd dim eisiau cyfieithu biwrocratiaeth i'r Gymraeg. Pob ffurflen nad oedd yn gwbl angenrheidiol, fyddai waeth iddi aros yn iaith cyfalafiaeth ddim, yr iaith nad oedd yn cyfieithu achos roedd hi'n gormesu pawb.

Ches i fawr o dystysgrifau yn ystod fy mywyd. Roeddan nhw'n bethau oedd yn tueddu i f'osgoi. Doedd gen i fawr o feddwl ohonyn nhw beth bynnag. Os nad oedd gan bobl ddull mwy gwreiddiol o wobrwyo ymdrechion eraill, yna doedd dim gwerth trafferthu. Roedd gen i un tystysgrif ar y wal, *'Certificate of Failure to Pass a Driving Test'*, ac ro'n i'n arfer credu mai dyna'r darn o bapur mwya diwerth yn y byd. Rŵan roedd gen i un gwell fyth. Tystysgrif i brofi yn ddiymwad fy 'mod i wedi marw. Fel tasa rhwyun mewn blynyddoedd i ddod yn ceisio gwrthbrofi hynny. Dwi'n meddwl mai dyna oedd yn fy nghythruddo fwyaf efo trefn cymdeithas Prydain. Roeddan nhw wedi perffeithio'r ddawn o sgwennu mân reolau traffig a

156

deddfau ynglŷn â lle oedd yn iawn i gŵn gachu. Roeddan nhw'n well na 'run wlad arall yn y byd (blaw 'Merica) am system effeithiol o gadw manylion am bobl, casglu ystadegau diwerth a llenwi tystysgrifau yn daclus. Ond os oeddach chi am wybod pethau gwirioneddol bwysig am ddiben bywyd ac ystyr tragwyddoldeb, mi fyddent yn edrych yn hurt arnoch. Mwy na thebyg y byddan nhw'n rhoi taflen 3256B y Llywodraeth i chi ar sut i beidio camddefnyddio cyffuriau.

Marwolaeth – dyna un peth y basach chi'n meddwl y byddai ganddyn nhw'r sensitifrwydd i adael llonydd iddo, yn fater oedd uwchlaw tystysgrif. Tybed ydyn nhw'n eich danfon chi'n ôl i'r ddaear os ydach chi'n cyrraedd y nefoedd heb un?

"Ennyd, Ennyd, Ennyd…"

Llais Mam ydi hwnna, a dwi'n dal ar y gwely a does dim wedi newid. Mae Mam yn eistedd ar y gadair ger y gwely ac yn mwytho 'mhen i. Dydi o ddim yn gyffyrddiad 'run fath ag arfer 'chwaith, felly falle 'mod i'n dal yn y freuddwyd. Neu fod cymaint o amser wedi mynd heibio ers i Mam fy mwytho nes ei fod yn ymddangos fel profiad cwbl ddieithr. Roedd rhywbeth yn od ynglŷn ag o beth bynnag.

"Ennyd, maddau i mi," meddai, mor ddistaw fel ro'n i'n amau a oedd am i mi glywed. Lluchiodd hynny fi oddi ar fy echel yn llwyr. Mae'n rhaid 'mod i wedi marw os dywedodd hi hynny wrthyf. Beth oeddwn i fod i faddau iddi? Beth ar y ddaear ddaeth drosti i ddweud y fath beth? Y hi sicr-ohoni-ei-hun, anffaeledig fod – yn gofyn i mi faddau iddi? Gwrandewais yn astud gan ddisgwyl stori fawr i ddilyn, ond ddaeth 'na 'run. Ddeudodd hi ddim gair wedyn. Falle mai difaru a wnaeth a brathu ei thafod. Mae'n rhaid fod rhywbeth i'w faddau. Nid fi yn unig felly oedd yn teimlo fod mur rhyngom. Fuon ni erioed yn agos at ein gilydd – roedd yn llawer gwell gen i 'Nhad, ac fe wnes yn siŵr ei bod yn gwybod hynny. Ond roddodd hi erioed, erioed o'r blaen awgrym bod y dieithrwch oedd rhyngom yn fai neb ar wahân i mi. Ro'n i'n teimlo fel berwi o ddicter mwya sydyn, ond roedd hynny'n anodd efo gwaed oer yn fy ngwythiennau. Dim ond rhyw fud losgi wnai'r cynddaredd o'm mewn tuag ati.

Yn y meddwl oedd o, nid yn y galon.

"Dwi am gau dy lygaid di rŵan, Ennyd," oedd ei geiriau olaf wrthyf.

Na! Peidiwch! Yn enw popeth, peidiwch â gwneud y fath beth. Dwi'n dal i allu gweld! Byddai fel tywyllu ffenest cell carcharor sy'n wynebu ei ddydd olaf. Dyma fy nghysylltiad cryfaf â'r byd! Dewisiwch unrhyw fodd arall o f'arteithio. Daeth y stori drist i mi am y tywysogion yn y tŵr a sut y bu raid i rywun losgi eu llygaid. Felly'n union y teimlwn i y funud hon. Fyddai waeth i chi losgi fy nau lygad â phrocer poeth. Mam, peidiwch, Mam... Dwi'n erfyn arnoch... Ond doedd dim modd i mi gyfathrebu â hi. Doedd gen i ddim defnydd dwylo i orchuddio fy wyneb, dim defnydd breichiau i'w gwthio ymaith, dim grym llais i sgrechian nes ei byddaru, dim grym coesau i redeg i ffwrdd. Plygodd drosodd ac roedd ar fin cymryd fy ngolwg oddi arnaf. Roedd yn rhaid i mi feddwl yn gyflym am ystryw i'w rhwystro...

Dagrau! Pe gallwn i godi'r deigryn olaf o ffynnon fy nhristwch, falle y byddai hynny'n ddigon i beri iddi ail-feddwl. Ond sut oedd gwneud hynny? Sut oedd cyrraedd y diferyn olaf oedd mor isel yn fy nghalon sych?

Meddwl am rywbeth trist, Ennyd, meddwl am y peth tristaf yn y byd. Sylweddola'r ffaith dy fod yn farw gelain ac na chei di byth fod yn fyw eto am dragwyddoldeb.

Dim ymateb.

Meddwl am rywbeth ofnadwy, dychrynllyd – trychineb, galanast, llongddrylliad, tirgryniad, dilyw, corwynt dieflig. Meddwl am dy gartref yn cael ei chwythu ymaith a gorfod rhodio'n wagllaw droednoeth mewn anialwch am weddill dy ddyddiau…

Doedd dim yn tycio.

Meddwl am rywbeth mwy personol, plant bach yn newynu efo coesau fel priciau, gwragedd yn cael eu curo'n ddidrugaredd gan eu gwŷr, hen wragedd yn cael eu treisio, babanod yn cael eu lladd, llygaid truenus yn crefu am help… Tyrd! y blaned yn darfod, anifeiliaid yn peidio â bod, cenhedloedd yn trengi, ieithoedd yn diflannu – dioddefaint, haint a rhyfel. Ceisais ddwyn pob delwedd erchyll i gof, pob mynegiant o gasineb a deimlais erioed, pob gair dicllon, pob ofn a'm harswydodd.

Dim byd. Mae'n rhaid fod llyn fy nhosturi yn hesb.

Tria'n galetach fyth. Cerddoriaeth drist, alawon lleddf, cyfleoedd a gollwyd, damnedigaeth Satan, ffrindiau'n cefnu, teuluoedd yn datgysylltu, rhieni'n anghofio, diffyg cariad...

Edrychias ar wyneb fy mam a dychmygu yn sydyn nad oedd fy marwolaeth yn gymaint â hynny o drychineb. Fi oedd yn gor-ymateb. Roedd hi'n drist, oedd, ond doedd hi ddim yn orffwyll gyda gofid. Doedd o ddim yn rhywbeth y byddai'n amhosib dod drosto. Un o'i phlant oedd wedi marw, dyna'r cwbwl. Merch na allodd hi'n anffodus erioed ei charu mor angerddol â hynny... Bu'n fam dda iddi, a dim mwy. Drwy ei bywyd, ddaru'r plentyn yma ddim ennyn teimladau cryf ynddi, ar wahân i ofn. Ymdrechodd i guddio ei diffyg hoffter ohoni, ond meddai'r ferch ar ryw synnwyr uwch a allai dreiddio i mewn i'w chalon. Na, doedd ganddi ddim llai na'i hofn. Bellach, hyd yn oed yn yr awr argyfyngus hon, a'i merch wedi marw mor arswydus o sydyn, doedd y golled ddim yn ennyn gofid mor ddwys

161

ag y dylai. Petai'n rhywun arall heblaw hon…

Fedrwn i ddim meddwl am yr un syniad tristach na hwn, ac ataliais fy hun rhag ystyried faint o wirionedd oedd ynddo.

Fe weithiodd p'run bynnag.

Yn ddirybudd, gwasgwyd rhywbeth o'm mewn a daeth lleithder i'm llygaid.

Yn araf, gan gosi fy nhrwyn, dihangodd y Deigryn Olaf.

Edrychodd fy mam arnaf mewn dychryn. Sythodd a phellhau rhyw fymryn. Gafaelodd yn fy ngarddwrn gyda golwg ddryslyd ar ei hwyneb, ond sylwodd ar seithigrwydd ei gweithred. Ond o leiaf, ddaru hi ddim cau fy llygaid.

Eisteddodd wrth fy ochr drwy gydol y nos. Ddaru hi mo 'nghyffwrdd i eto a thorrodd hi 'run gair. Ni ddarllenodd adnod ac ni chanodd gân. Felly y bu drwy gydol ein bwydau, roeddem mewn bydoedd gwahanol. Drwy'r nos hir honno, doedd gen i mo'r syniad lleiaf beth oedd yn mynd drwy ei meddwl.

* * *

Rhyw noson ddi-ddigwydd oedd hi wedi hynny. Dychmygwn Her yn edrych yn hurt arnaf i o 'nghlywed i'n deud y fath beth.

– Dwyt ti ddim yn meddwl fod hen ddigon wedi digwydd i ti eisoes mewn un noson, yr hen hulpan wirion? fyddai hi wedi'i ddeud.

Oedd debyg, nid yn aml y byddai rhywun yn paratoi ar gyfer taith i fyny'r Wyddfa, cael trawiad ar y galon, marw, cael trip ganol nos i dŷ rhieni, a chael ymweliad gan y meddyg yn yr un noson. A'r anffawd mawr. Doeddwn i ddim am sôn am hwnna, ond does gen i ddim i'w golli bellach. Mi fyddai Her yn marw chwerthin am fy mhen. Mi fyddai Giaff yn cydymdeimlo. Llwyddo i faeddu fy hun ddaru mi, do ar f'einioes i. Mi aroglais ryw ddrewdod dychrynllyd na fedrai hyd yn oed fy nhrwyn i ei ddiystyru, ac yna teimlais ryw wlybaniaeth anghyfforddus o'm cwmpas. Radag honno y gobeithiais i fwya mai breuddwyd oedd y cyfan. Ond mae'n rhaid fod Mam wedi ei ogleuo hefyd, achos mi gynhyrfodd braidd a ddaru hi ddim ceisio atal un ochenaid hir. Damia. Ddaru neb sôn am bethau felly – mewn realiti nac mewn llyfrau.

Pob disgrifiad arall o farwolaeth ro'n i wedi ei ddarllen, roedd pobl yn huno'n dawel yn eu gwelyau neu yn sibrwd rhyw wirioneddau mawr y byddai teulu a chyfoedion yn eu dyfynnu am flynyddoedd wedyn. Fedra i ddim hyd yn oed gofio beth oedd fy ngeiriau olaf – rheg mae'n debyg wrth i'r fflasg 'na falu. Mewn ffilmiau, roedd wynebau'r meirw yn rhamantus welw a'u cyfnasau marmor yn unlliw. Soniodd yr un dyn byw am y Cachiad Olaf yn y Byd. Tynnodd Mam y dillad a gweddïais nad own i wedi difetha un o'i gorchuddion gorau. Mi ddylan nhw fod wedi rhoi clwt amdanaf neu 'ngosod i rhwng y cyfnasau'n bropor.

Gydag ochenaid ddofn arall, cariodd Mam y gorchudd gwely o'r stafell yn un bwndel drewllyd. O nabod fy lwc i, mae'n siŵr ei fod o'n gwilt a gafodd ei wnio gan rhyw hen, hen nain yn oes y Creu. Daeth yn ei hôl efo powlenaid o ddŵr poeth a golchi 'mhen-ôl, ac roedd o'n deimlad braf. Mi oedd 'na ogla sebon neis yn gymysg efo disinffectant. Am 'chydig roedd gen i biti dros Mam. Dyma oedd hi'n ei wneud i mi'n fabi, a dyma hi'n gorfod gwneud yr un peth eto a minna wedi marw. Mae'n wir be maen nhw'n ei ddweud am aberth mam. Os nad ydi hyn yn aberth, wn i ddim beth sydd. Faswn i ddim yn ei wneud o i neb. Ac mae o'n fwy o aberth am nad ydi neb yn sôn amdano.

Yn eironig iawn, mi ddaru mi weld y wawr yn codi wedi'r cwbwl. Mae'n debyg mai fi oedd yr unig un o'r criw a'i gwelodd. Ddim o gopa'r Wyddfa efo criw o ffrindiau, ond yn fflat fel crempog ar y gwely ac wedi marw. Grêt o ffordd o gychwyn mileniwm newydd. Toedd hi ddim yn wawr mor anhygoel â hynny 'chwaith. A dweud y gwir, doedd dim anghyffredin ynglŷn â hi o gwbl. Tybed fyddai gen i siawns o gael gwobr am farw ar Nos Calan, fel y câi babanod eu lluniau'n papur am gael eu geni bryd hynny? Oeddwn i mor unigryw â hynny? Onid oedd yna fyrdd o eneidiau eraill wedi marw am hanner nos ar drothwy'r Mileniwm? Oedden nhw fel minna yn hanner ymwybodol o'u stad? Lle'r oedden nhw? Pryd fyddan ni'n cwrdd â'n gilydd? Daeth awydd angerddol drosof i gysylltu ag un o'r rhain.

Hwn oedd y bore cyntaf yn fy mywyd i mi beidio deffro – am y rheswm syml na ddaru mi 'rioed fynd i gysgu. Neu ro'n i wedi cysgu drwy'r nos efo fy llygaid yn agored. Rhag ofn fod digwyddiadau'r noson cynt yn ymddangos yn rhy afreal, roedd yna dystysgrif glân wrth fy ngobennydd i'm hysbysu 'mod i'n swyddogol farw. Doedd Mam ddim yn y gadair bellach ac roedd islais peiriant golchi i'w glywed yn nyfnderoedd y tŷ. (O bendith, felly roedd y rhan yna hefyd yn wir…) Sylweddolais na fyddai yna godi a molchi, na llnau dannedd, na gwisgo y bore hwn. Fyddai'r rigmarôl honno ddim yn cael ei pherfformio fyth eto. Gobeithio bod fy mherfeddion i bellach yn gwbl wag.

Bûm yn difyrru fy hun am gyfnod yn meddwl beth fu ymateb y gweddill o'r criw i'r newyddion amdanaf. Nhw oedd gen i fwya o biti drostynt. Doeddwn i ddim o gwmpas i'w cysuro. Y cwbl roeddan nhw wedi ei gael oedd neges ffôn anghredadwy 'chydig wedi hanner nos, a noson fawr unig, ddu i gadw cwmni iddynt yn eu gofid. Ni wyddent hwytha – mwy na finna – mo'r peth cyntaf am farwolaeth.

166

Dim ond rŵan – pan oedd hi'n amlwg yn rhy hwyr – y sylweddolais dan gymaint o anfantais yr oeddem. Roedd bai mawr yn rhywle. Roedd Rhyw wedi bod yn ddigon o boitsh cael gwybodaeth amdano, roedd Marw yn filgwaith gwaeth. A doedd Rhyw ddim yn gwbl orfodol, fel roedd Marw. Pam na fyddan nhw'n rhoi gwersi ysgol am hyn? Pam na fyddai 'na ffilmiau addysgiadol, ymweliadau gan ymgymerwyr a phosteri i gynyddu ymwybyddiaeth? Roedden nhw'n gallu ei wneud o efo alcohol a chyffuriau... Mae smocio yn eich lladd... mae cyffuriau yn achosi marwolaeth... ond doedd dim tamaid o ots ganddon ni achos wyddan ni ddim beth oedd marw. Roedd o'n fygythiad cwbl ddiystyr. I lawer o bobl ifanc, y Stop Olaf Un oedd Angau, lle'r âi llawer o'u harwyr yn drasig o gyn-amserol, roedd o'n nôd i'w gyrchu ato.

I eraill, doedd Marwolaeth ddim yn bod. Dim fel cysyniad pendant. Rhywbeth oedd yn digwydd ar deledu ac ar fideos oedd o. Hen afiechyd cas oedd yn taro plant yn y Trydydd Byd neu'n rhywbeth oedd yn peri i gathod a draenogod droi'n slwj ar lonydd. Doedd o ddim yn bwnc neis, felly doeddan ni ddim yn ei drafod. Doedd pobl neis, wareiddiedig y Gorllewin ddim yn dweud y gair ac roeddan ni'n ei sgubo dan y carped. 'Randros, mewn Diwylliant Byw'n Fythol Ifanc fel un ni, roedd y fath gysyniad â Marw yn heresi! Petai'n wir, byddai popeth yn ddibwynt – y cadw'n heini, y trawsblannu plastig, yr olew i gadw crychni draw, y paent i gadw gwallt rhag gwynnu, y diwydiant hysbysebu, modelau fel duwiesau, roc a rôl, ceir sydyn, cylchgronau, colur… ar yr echel hon roedd y byd yn troi! Fyddai'r pethau hyn roeddan ni i gyd yn eu gwneud yn troi yn Abswrd. Byddem yn colli holl ystyr bod.

Wedi meddwl am hyn i gyd, roedd o'n reit ddealladwy i mi pam nad oedd neb yn sôn am farw, a ddim hyd yn oed yn ynganu'r gair os gallent beidio. Roedd modd canfod geiriau eraill pan oedd raid, ond eu lapio yn y fath gybôl o ofergoel a sibrydion fel nad oedd gan 'run dyn byw y syniad lleiaf beth a olygai. Ond i rywun yn fy sefyllfa i, ro'n i ar dân eisiau ei drafod â rhywun. Roedd holl ddeniadau'r

168

byd wedi troi yn ddim, ac wedi colli eu hapêl. Ro'n i am wybod popeth oedd i'w wybod am y busnes Marw 'ma. Ro'n i fel gwyryf wedi cael ei gosod mewn puteindy ac ar fin wynebu'r cwsmer cynta…

Drwy'r awyr, yn gwbl ddirybudd, tra o'n i'n mwydro 'mhen efo'r holl syniadau yma, daeth arogl bara yn cael ei dostio i'm ffroenau, ac ew, roedd o'n ogla da. Daeth ag atgofion o fynd heibio siopau bara, o Nain yn tylino, o fara ffresh yn cael ei lapio mewn papur sidan, o gario torth adref dan fy mraich a honno'n dal yn gynnes…

Doedd arogl y bara boreol 'ma ddim yn codi archwaeth arnaf, dim ond yn gwneud i mi ysu am gael gwasgu nannedd i ddarn o dost cynnes a theimlo'r menyn tawdd hallt yn llifo lawr fy ngên. Paned dda o goffi du, ac mi fyddwn i'n barod i wynebu'r dydd. Ceisais wthio'r syniad na fyddwn byth yn bwyta eto i ben pella fy meddwl.

Drwy ffenest y llofft, welwn i ddim byd ond awyr lwyd. Tybed faint o eira oedd 'na tu allan? Mi geisais feddwl am luniau hapus. Hawys yn cerdded law yn llaw efo'i mam a'i brodyr a'i chwiorydd. Hawys yn rhedeg yn yr eira ac yn cael cyffwrdd ynddo am y tro cyntaf. Teimlo'r oerfel ar gledr ei llaw nes bydda fo'n brifo, yna ei roi yn ei cheg a blasu ei ddieithrwch. Roedd popeth i Hawys mor newydd.

Jest fel ro'n i'n dod i arfer efo llonyddwch mawr y llofft gefn, mi gerddodd rhyw ddyn cwbwl ddieithr i mewn i'r stafell, a dyn arall wrth ei gynffon. Doeddwn i erioed wedi eu gweld yn fy mywyd o'r blaen.

"Hon ydi hi," meddai 'Nhad. (Pam – faint ohonon ni oedd yn y stafell?)

"Hogan dlws," meddai'r dyn, ac yn wir, roedd o 'mhell o fod yn hyll ei hun.

Daeth syniad gwallgof i 'mhen, doedd 'Nhad erioed wedi trefnu dyn i'm priodi? Fydda fo'n gwneud y fath beth? Roeddan nhw'n rhoi pwyslais mor fawr ar y ddefod fel eu bod nhw falle yn ei hystyried yn bechod i mi ymadael â'r byd hwn heb gael modrwy ar fy mys, Mrs o flaen fy enw a dyn yn berchen arnaf. O ystyried digwyddiadau abswrd yr oriau olaf, fydda fo ddim yn peri unrhyw syndod i mi.

Dyn reit llydan oedd o efo mop o wallt du a

170

llygaid digalon. Nid mai dyna dynnodd fy sylw i, ond yn hytrach ei geg synhwyrus. Roedd ei ddwylo yn rhai cadarn ac fe'm trawodd fel dyn cryf, mawr... Daeth yn nes at y gwely...

"Dydach chi ddim wedi cau ei llygaid eto?"

"Naddo, Mr.Thomas... Ym, y wraig fel tasa hi'n cael trafferth...derbyn..."

"Hitiwch befo." Syllodd arnaf am hir eto cyn siarad, "Mi fedar un ddygymod i raddau efo marwolaeth yn digwydd i rywun mewn oed, medar? Ond pan mae o'n ei taro nhw'n betha ifanc fel hyn... Faint oedd oed y beth fach?"

Doedd neb wedi 'ngalw i'n 'beth fach' ers tua ugain mlynedd.

"Tri deg naw."

"Dim plant?"

"Doedd hi ddim yn briod."

Falle mai perthynas i mi oedd o – perthynas pell oedd yn amlwg wedi colli cysylltiad â'r teulu. Na, doedd hynny ddim yn gwneud synnwyr 'chwaith. Ro'n i wedi rhoi heibio'r syniad gwallgof o briodas wedi ei threfnu.

"A trawiad gafodd hi ddeudsoch chi?"

"Ia – am hanner nos neithiwr."

"Tewch â sôn – am union hanner nos?"

"Ia. Pam ydach chi'n gofyn?"

"Wyddoch chi ddim am yr hen goel?"

"Beth felly?"

"Meirw'r Mileniwm…"

" 'Rioed wedi clywed sôn – be ydi'r stori?"

Cododd y dyn ei ben ac edrych tua'r ffenest.

" 'Mond eu bod nhw'n bobl arbennig iawn – os buon nhw farw am hanner nos ar drothwy mileniwm. Wel, mae'n arbennig marw ar drothwy unrhyw ganrif, ond mae mileniwm yn eu gwneud nhw ganwaith fwy arbennig."

Roedd hyn o ddiddordeb mawr i mi. Byddwn wedi codi ar fy eistedd pe gallwn.

"Ym mha fodd?"

"Y si ydi eu bod nhw'n meddu ar alluoedd goruwchnaturiol."

"Pa werth ydi hynny i bobl farw?"

"Dydi'r toriad ddim yn llwyr. Maen nhw fel petaen nhw'n yn gallu dal gafael ar atgofion o'r Henfyd."

Edrychodd fy nhad i'm cyfeiriad. Bu'n hir iawn cyn dweud unrhyw beth.

"Ydi hi'n bosib 'mod i'n dal i olygu rhywbeth iddi felly?" Roedd y gobaith egwan yn ei lais yn hunllef i mi. Roedd o'n fwy petrusgar fyth gyda'r ail gwestiwn: "Ydi hi'n diodda o gwbl?"

"Diodda?"

"Fedrwch chi feddwl am artaith gwaeth na bod wedi gadael y byd yma, ond eto'n llawn atgofion?"

"Mae o tu hwnt i mi. Mae 'na goel arall hefyd… fod rhain yn cael ail-gyfle…"

Edrychodd fy nhad yn wyllt arno.

"Be ydi ystyr hynny?"

"Maen nhw'n cael y siawns i beidio difaru. Mae trugaredd Duw fel tasa fo'n cael ei ymestyn."

"Ydach chi'n credu'r fath betha?"

Edrychodd y dieithryn i fyw llygaid fy nhad. "Pwy ydw i i fwrw amheuaeth ar ddoethineb yr oesau?" gofynnodd, a rhoddodd hynny daw ar holi fy nhad.

Dwi'n credu mai dyna pryd y syrthiais dan ei swyn.

"Fedra i wneud rhywbeth?" gofynnodd 'Nhad, yn meddwl y byddai'n well dod yn ôl i'r ddaear.

"Na fedrwch – mi gewch chi'n gadael ni rŵan, diolch yn fawr. Mi aiff Eic i lawr ar ôl y mesur, ac wedyn mi wna i edrych ar ôl y golchi a 'ballu."

Mi ddois i'r casgliad mai rhywun oedd yn arbenigwr ar olchi gorchuddion gwely ydoedd. Ar ganol meddwl beth oedd ystyr Trugaredd oeddwn i pan estynnodd y dyn dâp mesur o'i boced a dechrau fy mesur i, yn hytrach na'r gwely.

"Ffeif ffeif," meddai Eic. "Mi wnaiff hynny ffitio'n iawn, gwnaiff?"

"Sut siort oeddan nhw isio?"

"Y neisa oedd ganddon ni. *Full trimmings.*"

"Ydi'r un sydd gynnon ni wedi ei orffen bellach?"

"Ffeif sics ydi honna, mi wnaiff yn iawn. Pren gora."

Fe gasglais o'r diwedd nad am orchudd gwely roeddan nhw'n sôn.

"Doedd pris ddim i weld fatha tasa fo'n eu poeni."

Ddaru o rioed. 'Runig beth a'u poenodd hwy oedd sut oedd gwahanu efo'u harian. Beth oedd y pwynt dechrau ei wario arnaf i rŵan?

"Mi a' i rŵan, 'ta , Gwydion."

"Reit-ti ho… Eic! Be ddeudodd y fam am y fodrwy?"

"Ei thynnu hi."

"Ocê."

Falle mai dyna oedd y peth olaf wnaeth fy mam i'm pechu. Tan hynny, falle y gallwn fod wedi maddau iddi, ond ddim ar ôl hynna. Y fodrwy yna oedd yr un peth yr oeddwn i'n meddwl y byd ohoni. Esra a'i prynodd hi i mi ym Mhrâg, ac mi fyddai Mam yn gwylltio am 'mod i'n mynnu ei gwisgo ar drydydd bys fy llaw chwith. Dwi'n amau mai gwneud hynny i'w chythruddo yr oeddwn. Falle 'mod i'n gwneud cam â hi – falle ei bod hi wirioneddol eisiau rhywbeth i gofio amdanaf. Go brin, a siawns fod yna rywbeth llai personol ar wahân i'r fodrwy i gadw'r cof amdanaf yn fyw.

Felly Gwydion oedd enw'r swynwr. Cadwodd ei hudlath a edrychai fel tâp mesur a mynd o'r stafell. Doeddwn i'n adnabod neb arall gyda'r enw hwnnw. Daeth yn ôl i'r llofft gyda basn o ddŵr poeth a lliain. Yna, daeth ataf. Roedd o fel petai yn ceisio codi fy mreichiau, ac i ddechrau, meddyliais ei fod am helpu i mi godi. Yna sylweddolais ei fod yn tynnu amdanaf. Tasa 'na waed cynnes yn dal i redeg trwof, byddwn wedi mynd yn boeth drosof ac wedi gwrido'n ddwfn. Doedd o ddim yn fy nadwisgo gyda nwyd dyn eirias 'chwaith, dim ond yn araf, araf, ac roedd hynny'n fy nghynhyrfu i fwy. Doedd yna neb wedi tynnu amdanaf felly o'r blaen.

Mae'n rhaid mai bod hudol ydoedd. Sut arall y byddai fy rhieni wedi caniatáu i ŵr dieithr ddod i'r tŷ a'i adael ar ben ei hun gyda mi mewn stafell wely? Mi fyddai eisiau grymoedd go gryf ar unrhyw ddewin i gyflawni hynny. Falle mai dyna lle'r oedd o wedi bod ar hyd y blynyddoedd, yn cyflawni rhyw gampau a gorchestion gwirion osododd fy 'nhad iddo er mwyn iddo ennill llaw ei ferch. Ac wedi iddo dreulio blynyddoedd lawer yn hela tyrchod, canfod cribau, dringo mynyddoedd, nyddu gwallt, cyfri tywod a mesur y môr, fe gyrhaeddodd gartref ei gariad, cael sêl bendith y rhieni, dringo'r grisiau i'w llofft, agor y drws, a chanfod gwrthrych ei serch yn farw ar y gwely.

Dyna un diffiniad o siom.

Roedd Gwydion yn edrych yn llawn rhyfeddod arnaf, ac roeddwn inna bellach yn noeth. Penderfynais fwynhau'r profiad i'r eithaf gan mai dyma mae'n bur debyg y tro olaf i mi fod yng nghwmni dyn. Cymrodd y lliain, gwlychodd ef, ac yn dyner iawn, golchodd fy mronnau. Roedd o fel petai ofn cyffwrdd ynof, fel petawn i'n degan brau fyddai'n cracio yn ei freichiau. Golchodd fi filgwaith, f'ysgwyddau, fy ngwddf, fy mronnau, fy stumog, fy nghluniau, fy nghoesau a'm traed. Golchodd fy wyneb drosodd a throsodd. Golchodd fy mreichiau a dan fy ngheseiliau, golchodd fy mannau cudd. Trodd fi a golchi 'nghefn. Golchodd fi gyda'r fath anwyldeb fel nad oeddwn i am iddo roi'r gorau iddi. Golchodd fi'n fwy trylwyr nag y golchais fy hunan erioed. Golchodd fi fel petawn i'r crair mwyaf sanctaidd yn y cread. Golchodd fi gyda pharchedig ofn. Petai wedi fy ngolchi â llaeth a mêl, a thywallt myrr gwerthfawr trosof, fyddwn i ddim wedi cael mwy o wefr. Sychodd fi gyda'r un trylwyredd a'r un

177

tynerwch. Yna, cymerodd grib a chribo 'ngwallt. Roedd hynny'n braf. Gwnaeth i mi deimlo yn wraig drachefn, ym mlodau ei dyddiau. Rhoddodd ei ddwylaw am fy wyneb ac edrych arnaf am amser maith. Yr unig beth rown i ei angen i wneud y profiad yn berffaith oedd cusan. Un gusan ysgafn na fyddai neb yn gwybod amdani. 'Chefais i mohoni.

Gosododd amdo amdanaf, a sicrhau fod y defnydd yn gorwedd yn iawn, a bod fy nwy fraich o bobtu i mi. Y cyfan oedd yn mynd drwy fy meddwl oedd gŵr o'r un enw a aeth allan i'r meysydd a chymryd blodau'r deri a'r banadl i greu'r forwyn decaf a welodd dyn erioed. Gwydion yn adrodd straeon, Gwydion yn troi pobl yn anifeiliaid, Gwydion fab Dôn yn lladd Pryderi wrth y Felen Rhyd. Siawns na allai gyflawni un swyn arall ac anadlu bywyd yn ôl i'm corff. Siawns nad oedd yn wastraff claddu corff mor dlws â hwn? Peth bach iawn iddo fyddai ailgychwyn pendil y galon. 'Randros, os gallodd ei hudlath roi ffurf dyn i Lleu wedi iddo fod yn eryr, doedd fy nghais i ddim tu hwnt iddo. Falle y byddai'r un gusan wedi bod yn ddigon... Ond rhaid i

178

mi gyfaddef, pan wisgodd fi mewn amdo, doedd hynny ddim yn arwydd gobeithiol.

Diflannodd y swyn yn go sydyn pan ddefnyddiodd sebon golchi llestri i dynnu'r fodrwy oddi ar fy mys. Yn ferch fach, mi feddyliais yn aml pwy fyddai'r gŵr mewn seremoni hudol fyddai'n gafael yn fy llaw chwith a gosod cylch o aur am fy nhrydydd bys ac addo cariad na fyddai byth yn darfod. Rŵan, dyma ŵr yn cyflawni'r ddefod o chwith, ac wrth golli'r fodrwy fechan honno, dyma fi'n colli darn bach o'm hunaniaeth.

Doeddwn i'n golygu dim iddo. Un corff arall oeddwn i iddo. Un corff arall i gael ei olchi a'i bacio'n ddestlus ar gyfer y daith i dragwyddoldeb. Petai Gwydion Thomas wedi mynd bryd hynny, mi fyddai wedi 'ngadael efo'r atgof mwyaf erotig a gefais yn fy myw (neu yn fy marw). Yn anffodus, fe ddifethodd y cwbl.

Yn gynharach, roedd wedi peri i mi deimlo mai fi oedd y wraig harddaf yn y bydysawd, nad oedd gan neb groen fel f'un i na llygaid fel fy rhai i. Fi oedd yr ateb i'w freuddwydion eithaf. Fe'i dallais gyda phrydferthwch fy nghorff. Yn annisgwyl, o'i focs bach oedd yn llawn triciau, estynnodd bowdwr a brwsh. Yn ysgafn iawn, rhoddodd bowdwr ar y brwsh a'i dywys yn ofalus ar hyd croen fy wyneb, yna gwnaeth yr un peth i gefnau 'nwylo. Dwi'n credu mai dyna'r sarhad eithaf a deimlais. Fyddai waeth iddo fod wedi 'nhreisio i ddim. Gydag un cyffyrddiad ysgafn o frwsh roedd o wedi datgelu pa mor hagr oeddwn i. Yn waeth na hynny, doedd o ddim yn ei wneud i 'mhlesio i, roedd o'n ei wneud o er mwyn gwneud y dasg o edrych arnaf yn haws i bobl eraill. Yna, cymerodd focs bach o gochni boch a phaentio hwnnw ar bob grudd. Roedd wynebu'r bedd a'r hyn oedd tu hwnt fel ag yr oeddwn yn ddigon o faich. Roedd gorfod ei wynebu yn edrych yn gyfuniad o butain a chlown yn gywilydd na allwn mo'i oddef. Onid oedd yna ben draw i ddiffyg chwaeth y byd hwn? Dechreuais wylo dagrau sych anweledig. Doedd Mr.Thomas ddim callach.

2 Ionawr

Trwy oriau'r tywyllwch, 'Nhad gadwodd gwmni i mi yr ail noson. Eisteddodd am amser maith wrth y ffenest yn edrych allan i'r nos. Roeddwn eisiau gofyn iddo a oedd hi'n dal i fwrw eira, oedd bob man bellach wedi ei orchuddio'n llwyr? 'Nhad ddangosodd i mi gynta gymaint o bleser oedd gwylio eira yn disgyn. Un o'r atgofion cynharaf sydd gen i ydi sefyll wrth y ffenest, ynta'n gwmni i mi a'r ddau ohonom yn cael ein mesmereiddio gan symudiad diddiwedd y plu.

– Ydyn nhw'n fyw, Dad?

– Ddim yn hollol, Ennyd. Ac aeth i drafferthion mawr i geisio egluro i mi sut oedd gan bob pluen eira ei ffurf unigryw ei hun. Ond ddaru mi ddim dilyn trywydd ei ateb, dim ond dod i'r casgliad fy hun eu bod nhw'n bethau byw. Pethau byw, torfol, direidus oeddynt yn cynllwynio gyda'i gilydd i drawsnewid popeth a chwarae triciau ar drueiniaid daear. Tybed oedd 'Nhad yn dal i gofio'r adeg yna?

Mwy na thebyg ei fod. Ei drafferth mawr drwy gydol fy mywyd oedd iddo fethu derbyn bod yr hogan fach honno wedi newid. Mi ges inna 'mrifo a dod i'r casgliad 'mod i wedi peidio â chyflawni 'mhwrpas unwaith y tyfais yn fwy na phedair troedfedd. Mi dyfodd 'na fronnau a blew a rhyw bethau henaidd felly arnaf, a hoff sylw 'Nhad wedyn oedd nad own i'r hogan oeddwn i. Tyfu a thyfu wnaeth y gagendor rhyngom fel nad oedd modd ei bontio. Ceisiodd Dyddgu ein llusgo at ein gilydd ar adegau pen blwydd a 'ballu, ond goddef presenoldeb y naill a'r llall a wnaem heb gael unrhyw bleser ynddo.

Dwi'n cofio cael andros o gerydd ganddo unwaith pan feiddiais wisgo colur am y tro cynta.

– Does 'na'r un ferch i mi yn mynd allan fel 'na, medda fo, ti'n edrych fel rwbath o'r gwtar.

Ro'n i'n teimlo'n ddigon ansicr cyn iddo ddeud hynna, a tasa fo wedi 'nghuro i, fydda fo ddim wedi gallu 'mrifo i'n waeth. Rhuthrais i fyny i'm stafell a golchi'r paent a baentiwyd mor nerfus-ofalus ychydig funudau ynghynt. Mi roddais y gorau i'w ddefnyddio ymhen amser; ambell waith byddwn yn ei wisgo yn benodol er mwyn ei gythruddo.

Rŵan, a minna'n gorff marw wedi 'mharatoi i f'arddangos, yn ogleuo'n neis, fy ngwallt yn dwt am y tro cynta ers cantoedd, fy amdo wedi ei smwddio'n ddel, powdr ar fy nhrwyn a 'mochau'n atyniadol binc, be oedd o'n feddwl ohonof i?

Tynnwch y dillad gwallgo 'ma oddi arnaf, golchwch y colur 'ma i ffwrdd, gadwch i mi dynnu fy mysedd drwy 'ngwallt i'w wneud yn gyfforddus flêr unwaith eto. Mi groesaf i'r bont yn ôl atoch, mi wna i wella fy ffyrdd, mi wna i eich nabod chi eto – dim ond i chi f'achub i rhag y meri-go-rownd hunllefus yma.

Ond roedd hi'n rhy hwyr. Roedd 'Nhad wedi caniatáu i'r doctor arwyddo'r dystysgrif ac roedd yn grediniol 'mod i'n hollol farw. Roedd o wedi gwerthu f'enaid, a 'dallwn i wneud dim i'w gael yn ôl. Bron na ddeudwn i fod yna blu eira wedi disgyn drosof inna a'm gorchuddio'n llwyr am hynny o sylw a gymerai ohonof. Doedd dim, dim arlliw ohonof yn weddill.

Pan ddaeth Twm Claddu ac Eic yn ôl y bore hwnnw, roedd yn haws eu hadnabod fel ymgymerwyr. Roeddent yn cario arch rhyngddynt. Roedd y ffilm wallgof yma yn dal i fynd yn ei blaen. Mi gymerodd hi funud neu ddwy i mi sylweddoli mai ar fy nghyfer i oedd yr arch. Dyna un peth na ddychmygais erioed y byddwn yn ei gweld. Yr oedd hi'n arch gwbl ddi-chwaeth – o bren wedi ei bolishio a rhyw hanner dwsin o handls mewn crôm sgleiniog. Doeddwn i ddim eisiau cael fy nghladdu mewn peth mor hyll. Doeddwn i ddim eisiau cael fy nghladdu, ffwl stop, tasa hi'n dod i hynny. Ond ers i mi farw, roedd ewyllys rydd wedi mynd drwy'r ffenest, a fedrwn i wneud dim i atal fy nhynged.

Safodd Eic wrth fy nhraed a'r llall wrth fy mhen, fy nghodi yn araf a 'ngosod i yn yr arch. Roedd o fel gorwedd mewn canŵ. Synnais mai gorchudd plastig oedd tu mewn, a gobennydd tila fel tasa fo wedi ei stwffio efo papur newydd. Doeddan nhw ddim i fod yn bethau cyffordus debyg, ond mi faswn i wedi lecio dipyn bach mwy o foethusrwydd na hyn. Mi allen nhw fod wedi gwario mwy ar yr *'interior decorating'* a llai o sbloets ar y tu allan.

"Ydi'r ffrilan gen ti, Eic?"

"Dyma hi."

A'n gwaredo! Ymddangosodd rholyn mawr o ddefnydd gwyn, ffansi, ac aeth y ddau ati i hoelio hwnnw yn sownd wrth rimyn yr arch fel ffrilan ar goets babi. Mi ddylai 'na gyfraith fod yn erbyn anlladrwydd fel hyn. Ro'n i'n teimlo 'mod i'n cael fy mharatoi ar gyfer carnifal yn hytrach nac ar gyfer fy angladd fy hun.

"Gafael di yn y pen yna, Eic," a theimlais fy hun yn cael fy ngharion.

"Reit-o; cym' ofal rŵan, wrth fynd drwy'r drws neu mi fyddwn ni'n crafu'r paent…"

A dyna sut y cefais fy reid gyntaf mewn arch. Sut oedd bosib cymryd y fath beth o ddifri? Roedd o'n union fel taswn i'n chwarae'r brif ran mewn parti gwisg ffansi tywyll, di-chwaeth. Wedi mynd i lawr y grisiau, ro'n i'n edrych ymlaen at gael mynd allan, ond trodd Eic am y parlwr ffrynt a'm gosod i orffwys ar ddwy rês o gadeiriau. Cymrodd y pantomein wedd ddifrifol pan welais gaead yr arch yn fy wynebu. Ar blât yn sgleinio, darllenais fy enw:

ENNYD FACH
1960-1999

Biti na fyddwn i wedi byw ennyd yn hwy. Mi fyddai'r flwyddyn 2000 wedi edrych yn dda – fel taswn i wedi cael oes fwy maith. Ei cholli hi o eiliadau ddaru mi. Daeth 'Nhad trwodd.

"Newyddion drwg sydd gynnon ni i chi, mae arna i ofn," meddai Twm Claddu. "Fedran nhw ddim claddu am rai dyddiau. Mae'r ddaear wedi rhewi'n gorn."

Hwrê! Dyna'r newyddion gorau i mi ei glywed ers talwm. Dim claddu am y tro – a 'chydig ddyddiau yn hwy uwch ben y ddaear...

"Lle mae hynny'n ein gadael ni?" gofynnodd 'Nhad mewn llais pryderus.

Dal yn sownd yn fan hyn o'm rhan i...

"Fedar hi fod yn ddeuddydd dri...Dydd

Mercher neu ddydd Iau hyd yn oed."

Ga i ddod allan yn y cyfamser 'ta?

"Tydi hynny ddim yn peri trafferthion efo… efo'r corff?"

Dyna'r tro cynta i 'Nhad gyfeirio ataf felly…

"Fedar o ddim aros yma."

Doedd 'corff' ddim hyd yn oed yn fenywaidd…

"… Awn ni â fo i'r *Funeral Parlour.*"

I'r Cwt Claddu? 'Daiff 'run o 'nhraed i yno, nag unrhyw ddarn arall o 'nghorff i.

"A be ydi'r drefn efo'r Stifficet?"

"Reit, mae'r *'Death'* gynnoch chi 'tydi? Mae isio rhoi hwnna i'r Rejistrâr. Fedrwch chi 'neud hynna heddiw. *Burial Certif* ydi'r llall – 'dach chi'n cael hwnnw ar ôl y claddu – fform werdd. Mae isio rhoi ei hanner hi i'r Rejistrâr, a'r hanner arall i Ysgrifennydd y Fynwent – hynny ydi, wedi i'r gweinidog ei seinio…"

Ro'n i wedi drysu heb sôn am neb arall…

"Rŵan, mae isio i chi benderfynu be i'w 'neud efo bloda – ac ydach chi isio rhoi notis yn papur – a pa fath o serfis 'dach chi isio…"

'Radeg yna y collais i fynedd. Ro'n i'n teimlo fel sgodyn ar gowntar siop tships: "Efo batyr neu heb?... Efo'r tships, 'ta ar ben ei hun?... Halan a finagr?... 'Gorad, neu wedi cau?... Wan ffiffti – Thenciw... Nesa?"

Chwarae teg i mi, ro'n i wedi bod reit g'lonnog tan yr adeg honno, ond wedyn mi ddaru rwbath tu mewn i mi gracio. Roedd un o adegau pwysicaf fy mywyd i wedi dirywio i fod yn ddim mwy na phentwr o ffurflenni i'w harwyddo a manion trefnu dibwys. Roedd gen i flys canslo'r cwbwl fel ddaru Sgadan.

Diolch byth, mi ddaru nhw 'ngadael i ar fy mhen fy hun wedyn. Ddaru mi 'rioed lecio'r parlwr ffrynt. Stafell gwbl ddiangenrhaid oedd hi. Ei hunig ddiben oedd arddangos cyfoeth dros ben, croesawu fisitors lled braich a chadw eirch.

Syllais ar y poinsetia ar y dresel. Roedd o'n un o fy hoff blanhigion. Synnwn fod y fath dyfiant synhwyrus wedi canfod ei ffordd i gartre fy rhieni. Roedd o fel petai'n tresmasu yno. Fydda fo byth wedi cael ei ganiatáu yno 'blaw ei fod o'n flodyn Nadoligaidd ac i'w weld yn bob magasîn. Dyna lle y safai, yn bowld ac yn eofn yn herio diymdferthedd y stafell. Ei ddail coch, llachar fel tafodau dreigiau, yn bigog, ymwthgar – eisiau troi y lle a'i wyneb i waered. Cydymdeimlai â mi ac roedd yn amlwg y byddai wrth ei fodd yn cael parti gwyllt. Ond roedd ei ddyddiau yntau wedi eu cyfri. Mi faswn i wedi hoffi trio dal hanfod y rhyfeddod hwn ar un o'm llestri. Tybed beth fyddai'n digwydd i fy holl grochenwaith?

Ar wahân i'r blodyn Dolig, llwm iawn oedd pethau yn y parlwr ffrynt. *Funeral Parlour* oedd hwn i bob pwrpas. Hanfod y stafell oedd ei bod yn anghyfforddus ac na fyddai neb eisiau aros yno'n hir iawn. Mi fyddech chi ofn eistedd ar y cadeiriau yn rhy hir rhag ofn i chi grychu'r defnydd. Mi fyddech chi ofn anadlu'n rhy drwm rhag tarfu ar y casgliad gwydr yn y cabinet. Ar hyd y silff ben tân, yr oedd 'na luniau teidiau a neiniau a pherthnasau nad oedd gen i mo'r syniad na'r diddordeb lleia pwy oeddan nhw.

Taswn i'n cael fy ffordd fy hun, mi fyddwn i'n cael deddf i ddiddymu parlyrau gorau. Roedd Giaff wedi bod yn frwd ynglŷn â hyn. Tasan ni byth yn canfod ein hunain ar yr ochr iawn mewn llywodraeth, o ganlyniad i chwyldro sosialaidd, roedd gennym gynllun beiddgar. Deddf Ad-Drefnu Eiddo fyddai enw'r mesur (er bod Giaff yn mynnu ei alw'n Fesur Diwygio Parlyrau). Y syniad oedd cymryd pob parlwr ffrynt o feddiant pobl nad oedd yn eu defnyddio a'u gwneud yn eiddo'r Wladwriaeth i'w gosod yn stafelloedd annedd i bobl ddigartref. Pe bai'r perchenogion yn mynnu, byddai drws ffrynt yn cael ei wneud fel mynedfa i'r newydd-ddyfodiaid yn lle eu bod yn tarfu'n ormodol ar y cyn-berchnogion. Doedd gan Seibar ddim 'mynedd efo'r cynllun gan ddweud ei fod yn hen un ac wedi ei gymryd o 'Doctor Zhivago'. Mi aeth Giaff â'r syniad yn bellach byth wedyn. Roedd o eisiau cymryd pob stafell ffrynt oddi ar bob tŷ yn llythrennol a'u hail-leoli mewn mannau eraill. Os oedd modd gwneud hynny efo tai gwag Sain Ffagan, siawns nad oedd modd ei wneud ar gyfer defnydd pobl. Mi fyddai'n filgwaith gwell na gadael i bobl fferru mewn drysau siopau.

Roedd gen i syniad gwell. Siopau dodrefn a B&Q oedd fy nharged i. Sawl gwaith y gwelsom stafelloedd gwely a molchi a byw yn cael eu hailgynhyrchu mewn siopau? Diben y peth oedd arddangos gwahanol ddodrefn, yn soffas neu'n welâu neu'n doiledau, yn eu cynefin. Roedd y cwsmeriaid wedyn i fod i brynu'r cyfuniad iawn o ddodrefn (a phaent a llenni os oeddynt ddigon gwirion), ac ail-greu'r effaith yn eu cartrefi eu hunain. Fy mhwynt i oedd fod cael y stafelloedd hyn mewn ffenestri siopau ac mewn unedau B&Q yn wastraff llwyr. Pam na châi pobl ddigartref ddefnyddio'r llefydd hyn fel cysgod dros dro. Gymaint mwy real fyddai gwely yn edrych tasa rhywun yn cysgu'n braf ynddo. Gymaint mwy cysurus yr edrychai soffa efo'i llond hi o ffrindiau. Ym marn Giaff, fydda fo ddim yn gweithio, achos fyddai neb yn cadw'r stafelloedd yn dwt a byddai'r ymarferiad yn colli ei bwynt a'r manijars yn gwylltio. Doedd stafelloedd gwirioneddol fyw ddim yn gweithio cystal. Delwedd oedd y peth oedd yn gwerthu – delwedd o gartrefi perffaith heb grychau, heb faw, heb bobl.

Byddai'r drafodaeth yn dod i ben fel rheol efo cerydd gan Pill pan fyddai o gwmpas.

Byddai'n ein cyhuddo o falu awyr mân-fwrgeisaidd. Deddf i ganiatáu tŷ iawn i bawb oedd yr unig ateb, roedd gan bawb hawl i un. Roedd gan Pill fwy yn ei ben na ni.

Ew, mae'n gynhyrfus yma – mae rhywun arall wedi cyrraedd rŵan: dau ddyn, a 'Nhad ydi un ohonynt. Sylweddolias nad oeddwn wedi gweld fy mam ers meitin. Falle ei bod dan yr argraff 'mod i eisoes wedi 'nghladdu. Pwy oedd y llall? Tynnodd ei het a daeth at yr arch ac edrych arnaf i.

" 'Mechan i," medda fo mewn llais dychrynllyd o drist.

Myn coblyn i, Moth oedd o – neu'r Parchedig Mathew Rwbath, Ramoth. Mi fyddwn i'n 'nabod y tristwch Methodistaidd yna'n rhywle, ond roedd yn sioc ei weld yma. Fedrwn i ddim meddwl amdano fel dim byd 'blaw Moth. Roedd o'n byw a bod mewn rhyw hen gapal sychlyd, tamp ac roedd pawb bron wedi anghofio amdano. Ro'n i wedi hen roi'r gorau i fynychu Ramoth pan ddaeth o yma fel gweinidog, ond roedd o'n dal i gyhwfan o 'nghwmpas i mewn gobaith am fod fy rhieni'n aelodau yn ei gapel.

"Dydach chi ddim wedi cau y llygaid?"

"Naddo – dim eto."

"Ia... 'Goleua fy llygaid, rhag i mi huno yn yr angau', medd yr Hen Lyfr 'te?"

Be ddiawch oedd ystyr hynny?

Chwarae teg i mi, ddaru mi fynd i'w gapel o unwaith neu ddwy. Mi fyddai'r criw yn aml yn cael dadleuon diwinyddol da, yn groes i gyhuddiad pawb nad oedd gan neb dan hanner cant ddiddordeb. Roedd ganddon ni ddiddordeb mewn deialecteg jest nad oedd ganddon ni ddim archwaeth at ddiwynyddiaeth â stamp y Sefydliad arno. Mae'n siŵr y bydden ni'n grefyddwyr tanbaid iawn radeg y Piwritaniaid, neu pan oedd Anghydffurfwyr cynnar yn cicio'n erbyn y tresi. Fi fyddai'n dadlau fwya efo Rasmws druan, oedd wastad mewn lleiafrif o un, ond mi fyddwn yn ei bryfocio yn ddidrugaredd hefyd.

Un tro, mi ges i fy anfon fel sbei gan y criw i wneud arolwg o be oedd sefyllfa crefydd heddiw, ac mi es i bedwar capal yn eu tro. Mi gafodd fy rhieni sioc farwol gan feddwl fod Diwygiad yn y gwynt. Wedi bod yn y pedwar capal, ac yn yr eglwys leol, mi benderfynais i fod y gwahaniaethau diwinyddol rhwng yr enwadau wedi dirywio'n ddychrynllyd. A bod yn onest, meddwn i yn fy adroddiad, yr unig wahniaeth gwirioneddol rhyngddyn nhw i gyd oedd fod Moreia yn cynnig scons efo'u te nhw ar ôl capal. Doedd Ramoth ddim hyd yn oed yn cynnig panad. Ym mhob un capal yr ymwelais â fo, cefais y teimlad pendant 'mod i wedi tarfu ar ryw glwb ecsliwsif oedd yn addoli traddodiadau'r ganrif ddiwethaf.

– Run fath â fasa blaenor yn teimlo wrth gerddad mewn i rêf, meddai Giaff, dim ond *culture gap* ydi hynna. Debyg fod o'n iawn.

Y siom fwyaf, meddwn i yn fy adroddiad, oedd sylwedd eu pregethau. Apologia oedd bob un bron am brinder y gwrandawyr a oedd yn bresennol. Tasa gan gwmnïau teledu y fath esgusodion tila am brinder gwylwyr, byddai pob sianel deledu wedi cael ei dileu. Rhyw fath o Loteri Grefydd oedd hi – a phobl yn hapus os oedd llawer yn y gynulleidfa ac yn drist os oedd y rhif yn isel. Roedd eu hieithwedd a'u cymariaethau yn hynafol ac annealladwy, ac roedd Pisgah yn meddwl eu

194

bod yn fodern iawn am eu bod wedi caniatáu gitâr yn y gwasanaeth. Roedd pregethwr Salem wedi rhoi mwy o sialens i'w gynulleidfa na neb arall, ond bach iawn fuo'r ymateb. Tasa rhywun wedi 'nghyhuddo i o'r fath bethau, mi fyddwn i wedi ei bledu. Mwynheais i'r bregeth honno oedd yn sôn am Archfarchnad Duw, am fara'r bywyd a'r dŵr bywiol. Roedd popeth yn rhad ac am ddim yno ar yr amod eich bod yn derbyn y cyfan.

Un peth oedd yn llanast oedd cyfartaledd rhyw ym mhob enwad. Tra mai merched oedd y mwyafrif ym mhob cynulleidfa ac yn gyfrifol am y te bob tro, dynion oedd yr unig rai yn y Sêt Fawr, yn bregethwyr a blaenoriaid. 'Run drefn ag yn y byd mawr oedd hi. Anodd iawn oedd cael caniatâd i adael yr adeilad wedi'r gwasanaethau; roeddan nhw'n gynnes iawn eu croeso ond â chymaint o ofn na fyddech yn dychwelyd y Sul nesaf fel bod rhai bron â'ch smentio i'r sedd. Cyfartaledd oedran y bobl oedd yn mynychu oedd deg a thrigain. Mi ddaru ni gytuno efo'r unig ddatganiad a wnâi'r capeli efo unrhyw fath o argyhoeddiad y dyddiau hyn – fod Crefydd Mewn Argyfwng.

Mi ddiweddais yr Adroddiad yn cyfaddef i mi gael fy nghyffwrdd yn wirioneddol gan yr emynau a ganwyd ym mhob capel. Wrth i mi wrando ar y geiriau, sylweddolais eu bod yn canu am bethau anhygoel – sôn am Iesu Grist fel rhosyn a'i alw yn 'ffrind pechadur', ro'n i'n lecio hynny. Canent am eneidiau'n hiraethu, dafnau chwys yn diferu, gwaed yn golchi, pechaduriaid mewn rhwydau, cefnfor tragwyddoldeb, anturio drwy ddŵr a thân, mentro drwy afonydd a dringo i gopaon mynyddoedd, moroedd o gariad, aberth nad oedd modd ei fesur, dinas gadarn, craig yr oesoedd, tymhestloedd ffyrnig, mellt yn fflachio a sugno eneidiau'n lân. Y ddelwedd fwyaf cofiadwy oedd 'euogrwydd fel mynyddoedd byd', cyffyrddodd hynny fi – roedd y cyfan yn anghredadwy, a phob emyn efo mwy o angerdd ac o nwyd na'r un gân gyfoes a glywais. Yr hyn oedd yn fwy anghredadwy fyth oedd fod y geiriau cryfion hyn yn cael eu canu'n danbaid gan bobl y capel, yna roeddent yn cau y llyfr hyms a

196

mynd adref – fel tasa dim oll wedi digwydd! Fel tasa fo'n gwbl normal i floeddio canu am y fath bethau.

Roedd hyn tu hwnt i mi. Taswn i'n credu hanner yr hyn roedden nhw yn canu amdano, byddwn yn cyhoeddi'r ffaith o ben toeau'r tai, byddwn yn rhedeg a neidio o gwmpas y lle, byddwn yn boddi mewn môr o ddagrau.

Chwarae teg i Moth, doedd o ddim yn un o'r rhai gwaethaf. Dwi'n gallu meddwl am sawl un o'i siort na fyddai'n edrych arnaf. Ddaru Moth erioed fynd heibio i ni heb ddeud helô, ac mi fedrwn i weld ei fod o bron â thorri'n ei hanner eisiau fy achub. Ond doedd waeth iddo heb. Roeddan ni'n dau ar blanedau gwahanol, ac ar gyffuriau gwahanol yn bendant.

Tasa capeli yn llefydd radicalaidd go iawn, yn herio pobl a gwerthoedd yr oes, yr un mor gadarn o blaid y tlodion ac yn erbyn Phariseaid, yn amlwg yn arddel gwerthoedd gwahanol, mi fyddai gennym fwy o 'fynedd efo nhw. Ond roedd hi wedi dirywio i fod yn hen gyfundrefn bryfetaidd oedd yn cynnal rhyw hen Frawdoliaeth nad oedd yn berthnasol i neb o'r tu allan. Iesu Grist – roedd hwnna'n fater gwahanol. Roedd ganddon ni lot mwy o ddiddordeb ynddo fo. Y broblem yn fan'no oedd ei fod o wedi cael ei heijacio gan y capeli ac wedi cael ei gam-gynrychioli yn sobor.

Ro'n i wedi mynd ymaith ar fy nhrywydd fy hun ac wedi anghofio canolbwyntio ar y sgwrs. Fe'i cawn yn anos ac yn anos canolbwyntio.

"Falla mai'r peth gora ydi cynnal yr angladd ddydd Mercher – fydd y ddaear yn bendant wedi dadmer erbyn hynny."

"A' i ymlaen i drefnu'r taflenni 'ta – os ydi hynny'n iawn efo chi."

"Beth bynnag fyddwch chi isio – dim ond rhoi caniad. Ac unwaith eto, mae'n ddrwg calon gen i. Roedd hi'n hen hogan iawn 'chi, yn y bôn. Dipyn yn wyllt falla… ond rhyw ysbryd rhyfeddol ynddi." Ac mi roddodd ochenaid ddofn. Roedd o'n swnio'n wirioneddol ofidus.

Dim ond rhoi caniad… Ga i eich ffonio chi Moth? Ga i eich ffonio i ofyn beth sydd ar fin digwydd i mi – yn enwedig ar ôl dydd

198

Mercher? Oes gynnoch chi unrhyw syniad – chi a'ch B.D. a'ch blynyddoedd o brofiad yng nghwmni Duw? Dwi'n sobor o wan yn fy Meibl, dyna 'mhroblem i. Dwi'n gwybod y dylwn i fod wedi gwneud rhywbeth yn ei gylch yn gynt, ond... Sori – does gen i ddim esgus. Wyddoch chi y jôcs 'ma am Pedr wrth y porth efo rhestr hir o enwau – oes gronyn o wir yn hynna? Oes yna nefoedd a Duw? Fasan nhw'n gadael 'hen hogan iawn' fel fi i mewn?

Trodd Moth ei gefn arnaf a mynd drwy'r drws. Ges i'r argraff bendant 'mod i wedi gadael pethau braidd yn rhy hwyr.

Yna, safodd yn y drws a throi at fy nhad. "Pryd ddeudsoch chi y buo hi farw?"

"Hanner nos ar nos Galan."

"Dewch... Mae'n un o Feirw'r Mileniwm felly..."

"Mr.Lewis, be'n hollol ydi'r gred am Feirw'r Mileniwm?"

"Wyddech chi ddim?... Roedd hi'n gred gref yn y ddegfed ganrif... Maen nhw'n cael dogn ychwanegol o ras, bendith arnyn nhw, ia, peth mawr ydi gras."

Gras – be gebyst ydi ystyr hynny?

"Ydi hynny'n golygu ail-gyfle, Mr.Lewis?"

"Ydi, er na feddyliais i ddim amdano fo felly. Gras – ydi, mae o'n gyfle arall, rhag i chi dreulio tragwyddoldeb yn difaru, debyg gen i. Bydd yn rhaid i mi gofio honna ar gyfer pregeth."

Tragwyddoldeb yn difaru... Mi ddaeth y don waethaf eto o ddigalondid drostaf i wedyn. Ro'n i'n union fel tawn i wedi 'ngosod mewn trên sbrydion yn y ffair a doedd gen i 'run gronyn o syniad beth oedd o 'mlaen i. Ia, peth gwael i fyfyrio yn ei gylch am amser maith yw tragwyddoldeb, yn enwedig a chitha mewn arch.

Dyna pam o'n i mor falch o weld y drws yn agor yn hwyrach y dydd hwnnw. A ddaeth yr un meddyg na gweinidog nac ymgymerwr drwyddo, dim ond ffrindiau – Seibar, Giaffar, Pill a Her. Ro'n i mor falch o'u gweld, byddwn wedi wylo dagrau petai gen i rai'n weddill. Daeth hen bennill i'm cof:

'Hwy a'm carodd, hwy am cofiodd
Ceisio, cawsant, hwy a'm cododd,
Haul fy mywyd drwy farwolaeth
Ffynnon f'ysbryd, swm fy hiraeth.'

200

Doeddwn i ddim yn cofio'r geiriau yn un-ion, ond hyd yn oed fel yna, roeddent yn gysur ac yn cyfleu'r hyn a deimlwn.

Mi ddaru 'Nhad eu tywys i mewn, ond roedd o'n ddigon call i'n gadael ar ein pennau ein hunain, diolch byth. Gallwn weld ar eu hwynebau fy mod i'n ddigon o sioe i'm gweld. Doedd o'n ddim llai na dychryn.

"Be wnawn ni – eistedd, ia?" gofynnodd Seibar yn anghyfforddus. Wyddai'r creaduriaid druan ddim be i'w wneud. Doeddwn i erioed wedi eu cyfarfod mewn parlwr gorau o'r blaen. Roedd mor anghydnaws ac angylion mewn twlc mochyn.

"Gafael mewn cadair," gorchmynnodd Her, ac mi symudodd ryw soffa heb gefn at yr arch i Giaff a hitha gael eistedd arni. Daeth Pill a Seibar i eistedd yr ochr arall i mi. Mewn dim, roedd wedi rhoi naws wahanol i'r lle.

"Sut mae petha, Ennyd?" gofynnodd Her fel tasa hi wedi galw heibio am baned. "Iesgob, rois di sioc inni – y g'nawes slei! Diflannu fel 'na dan ein trwynau."

"Cŵl Ennyd – ded cŵl," meddai Giaff.

Roedd Seibar druan yn crio'n ddistaw bach.

"Nid dan deimlad mae Seib," eglurodd Pill, " rhag ofn iti ddychryn. Wedi cael *contact lenses* mae o."

"Adduned blwyddyn newydd – delwedd smartiach. Drycha golwg arno fo."

Ac yr oedd 'na olwg arno. Roedd ei lygaid yn goch ac fel taen nhw wedi chwyddo, ac roedd o'n sychu lleithder efo'i hances. Doedd o ddim yn edrych yn rhyw smart iawn.

"Faswn i ddim yn ei alw fo'n welliant," meddai Her. "Fasa well gen i gr'adur go gall efo sbecs nag idiot dyfrllyd fel hyn hebddyn nhw. Wyt ti'n gweld dywad?"

"Dwi'n gweld petha od iawn," cyfaddefodd Seibar, yn edrych arnaf i.

"Dydi o ddim i weld yn real," meddai Pill ymhen hir a hwyr. "Chdi mewn arch – mae o fel jôc gwbl ddi-chwaeth, tydi?… Ac mae hi'n arch *sick* hefyd…"

"Be ydi'r ffrils 'ma? Mae o'n gymaint o *bad taste*. Ennyd, be sy wedi digwydd i ti? Fasat ti'n licio i mi drio ei phaentio hi?"

Her, ti'n werth y byd. Fasa ddim byd yn well gen i na chael arch seicadelig efo baneri sidan piws yn hedfan uwch fy mhen.

"Mae'n siŵr y bydda dy rieni di'n gneud ffys."

"Aethon ni ddim i fyny Wyddfa nos Calan," meddai Pill. "Fasa fo ddim wedi bod 'run fath hebddot ti."

"Felly 'dan ni'n mynd i ddod â ti fyny hefo ni," meddai Her. Doedd yna ddim diwedd ar ei syniadau gwallgo.

"A ddaru ni ganslo'r parti," meddai Seib. Jibars.

"Wel, ddim ei ganslo fo, jest cael criw bach ohonon ni. Rwbath *low-key*."

O'n i'n amau… Fasa eisiau tirlithriad cyn i un o bartis Noddfa gael ei ganslo.

"Be uffar ydi'r mêc-yp 'na ar dy wyneb?" gofynnodd Giaff. O'r diwedd, roedd o wedi gofyn y cwestiwn oedd yn achos pryder i bawb. Diolch Giaff – mor strêt â saeth, ac yn brifo cymaint hefyd.

"Ti fel *dolly-girl*," meddai Pill, "yn syth o'r Chwedegau. "Dipyn o mascara ac mi fyddet ti fel Mary Quant."

Rywun arall eisiau deud ei ddeud?

"Wedi dod i dy nôl di rydan ni," meddai Her. "Fedri di ddim aros yn fan hyn llawer hwy –

gwres canolog a 'ballu… ac maen nhw isio mynd â chdi i'r Cwt Claddu. Wel, dydyn nhw ddim isio – jest ddim yn gweld bod dewis…"

"Felly 'dan ni wedi rhoi dewis arall iddyn nhw," meddai Seib. "Lle sy'n oerach na'r Cwt Claddu? – Noddfa!"

" 'Nes i gynnig 'y nhŷ i," meddai Pill, "ond doedden nhw ddim isio dy rewi di."

Er na symudodd fy wyneb, ddaru mi chwerthin yn harti. O'n i'n colli'r teimlad clên hwnnw o gyhyrau fy stumog yn crynu.

Syniad clên, mêts, ond wnaiff fy rhieni i byth…

"Mae dy rieni di'n ystyried y peth – go iawn. Ei weld o'n beth od, naturiol, ond maen nhw fel tasan nhw'n meddwl ei fod o'n beth reit annwyl i'w wneud. Wyddan nhw ddim ein bod ni'n gystal ffrindia meddan nhw – *sad*. Maen nhw dan yr argraff ein bod ni'n mynd i edrych ar dy ôl di."

"Dydyn nhw ddim yn deall ein bod ni am dy osod di ar Maes a chodi punt i bawb ddod i dy weld." Diolch eto, Giaff.

"Oeddan ni'n mynd i dy herwgipio di, ond fethon ni feddwl am neb fydda dy isio di'n ôl

– ddim fel wyt ti beth bynnag," meddai Pill.

"Chwarae teg – roedd hynna cyn gweld y mêc-yp," meddai Her yn wamal. " 'Nes i 'rioed ddychmygu y gallat ti edrych mor secsi."

Ewch o'ma'r c'nafon pryfoclyd. Dwi'n diawlio 'mod i wedi marw a 'mod i'n methu atab yn ôl.

"Dydi fan hyn fawr gwell na Cwt Claddu, nac ydi?" meddai Pill yn edrych i lawr ei drwyn ar y lle. "Mor ddi-chwaeth o posh..."

"Mi gawn ni air eto efo dy rieni di rŵan i weld os ydan ni wedi llwyddo," meddai Her, a dyma nhw i gyd yn codi i adael.

"Os nad ydyn nhw'n cytuno i'n gofynion, 'dan ni'n ymosod arnyn nhw," meddai Giaff wrth fynd drwy'r drws.

Fe'u gwyliais nhw'n mynd, ac roedd fy nghalon i, er mor llonydd, mor hapus â'r gog. Nac oedd, hen gymhariaeth dila, roedd hi mor uchel â Giaff ar drip da. Wrth gwrs y llwyddwch i 'nwyn i o'ma, y diawlad hurt. Pryd gafodd unrhyw beth y gorau arnoch chi?

Radeg yna y sylwais i ar y blodyn Dolig. Doedd o ddim run fath â chynt, ond roedd hi'n anodd deud y gwahaniaeth. Roedd o 'run siâp... dim ond... dim ond nad oedd o'n ysgarlad bellach. Roedd ei liw wedi blino ac wedi pylu. Roedd yr unig beth llawn lliw yn y stafell wedi colli ei rin. Byddwn yn falch o ddianc o'r lle 'ma.

O bryd i'w gilydd yn yr hen fyd yma, mae gwyrthiau yn digwydd, ac mae rhyw rym arallfydol yn toddi calonnau roeddach chi'n meddwl eu bod yn graig. Wedi cryn berswâd, mae'n rhaid fod fy rhieni wedi cydsynio i gorff eu merch gael ei symud i fan fyddai'n oerach, i Noddfa, 33 Stryd Pwll, lle byddai rhywun yno i gadw llygad arnaf. Roeddynt yn amlwg dan y camargraff y byddwn yn saff yno. Dyna sut y cefais fy reid gyntaf mewn hers efo Her, Giaff a Seibar wedi eu gwasgu yn y sedd flaen yn dangos y ffordd i Noddfa.

Diolch byth, ddaru nhw ddim rhoi'r caead arnaf, dim ond taenu lliain gwyn drostaf i. Roedd Pill isio defnyddio'r Ddraig Goch, ond mi fyddai hynna wedi tynnu sylw.

Dyna'r tro cyntaf i mi fynd dros drothwy Noddfa a pheidio arogli'r drewdod nodweddiadol hwnnw. Naill ai am eu bod wedi llnau'r lle, neu am 'mod i falle'n drewi braidd, bellach, a ddim mor sensitif i ogla. Ddaru nhw 'ngosod i ar y llawr, ond rhoi pentwr o bapur newydd dan ben blaen yr arch fel 'mod i o leia'n gallu gweld y teledu.

"Iechyd, welaist ti edrych yn rhyfadd arnon ni 'nath boi drws nesa?" gofynnodd Seibar.

"Pwy? Psycho?" gofynnodd Giaff

"Ia, roedd ei lygaid o bron â neidio o'i ben."

"Oedd o'n dda bod o'n meddwl dy fod ti'n crio," meddai Her. "Yli, waeth i ti dynnu'r lensys 'na ddim. Ti'm i fod i'w gwisgo nhw ormod ar y diwrnod cynta."

"O'n i ddim yn meddwl baswn i'n eu cael nhw mor fuan," meddai Sei, gan eistedd o fy mlaen i'w tynnu. Taswn i'n fyw, mi fyddai'n stumog i wedi troi. Roedd yn gas gen i weld neb yn stwna efo'u llygaid.

Roedd yn dda gweld Seib a Giaff yn ôl yn ffrindiau eto. Daria, anghofiais i ofyn i Her be fu achos y ffrae yn yr Wirral. Faswn i ddim yn cael gwybod bellach, nid fod hynny'n ddiwedd y byd… Iechyd, roedd hi'n braf bod yn ôl mewn lle normal ac yng nghwmni ffrindiau. 'Nôl mewn awyrgylch gynnes, wallgo, wirion bost unwaith yn rhagor.

Gwylio teledu a gwrando ar sgyrsiau'r naill ar llall fuon ni gyda'r nos, ac roedd hi'n union fel yr hen amser. Mi wnaeth Seibar swper, ac roeddan nhw'n teimlo'n rhyfedd yn bwyta o 'mlaen i.

"Gei di smalio 'mod i'n bwyta dy siâr di ar dy ran," meddai Her, " – ddim ei fod o mor neis â hynny…" a rhoddodd winc arnaf i.

Dwi'n gwybod, Her – yn fflamio 'mod i methu wincio'n ôl. Ni fedrai Seib goginio pryd iawn dros ei grogi, ond roedd o ar y rota. Doedd Giaff ddim – am resymau amlwg. Dim ond cacen dôp oedd yn ei lyfr risêts o. Mi fethon nhw godi blys arnaf i felly; peth od oedd peidio cael archwaeth. Doedd 'na ddim ogla o gwbl arno, 'chwaith. Ond yn ddiweddarach yn y noson, efo peth o ddanteithion Dolig yn weddill, mi ddechreuon nhw basio cnau a siocledi a spliffs o gwmpas. Gwyliais Seib yn gafael mewn tanjerîn a'i blicio, a dychrynais wrth beidio clywed yr arogl siarp atgofus hwnnw sy'n amhosib i'w wahanu oddi wrth y ffrwyth. Roeddent yn mynnu cynnig y danteithion i mi oherwydd grym arferiad, heb gofio 'mod i'n gallu gwneud hebddynt bellach. Yn y diwedd, mi drodd y peth yn jôc.

"Rhaid i mi ddeud, Ennyd, rwyt ti'n llawar haws edrych ar dy ôl fel hyn," meddai Her, "ac yn rhatach dy gadw. Ddylian ni styried y syniad ar gyfer Giaff."

Brathodd ei thafod, ac am unwaith, ddaru neb chwerthin. Rai blynyddoedd yn ôl, mi gafodd Giaff ddamwain car ddrwg a dim ond osgoi cael ei ladd o drwch blewyn wnaeth o. Buom yn ôl ac ymlaen o'r uned gofal dwys yn yr ysbyty yn ei weld, ac mi gymerodd fisoedd i ddod yn ymwybodol ac yn rhywbeth tebyg iddo fo'i hun.

Mi drawodd fi'n sydyn mai cael f'atgoffa o'r cyfnod hwnnw roeddwn i nawr – roeddem wedi cael profiad blaenorol o siarad am hydoedd efo rhywbeth ddigon tebyg i gorff. Mi wellodd Giaff yn gorfforol yn wyrthiol, ond cafodd ei glwyfo'n feddyliol am byth. Nid bod dim diffyg meddygol arno o gwbl, dim ond bod ei berspectif o ar fywyd fel tae o wedi ei droi a'i ben i waered. Roedd o'n arfer bod mor frwd, mor unplyg ac roedd popeth mor glir iddo. Ond wedi'r ddamwain, wn i ddim, mi surodd o. Roedd o'n adwaith cwbl annisgwyl inni am ei fod o wedi gwella cystal. Roeddwn i'n gwaredu meddwl am Giaff yn treulio ei fywyd mewn cadair olwyn. Roedd pawb – ni, ei deulu, pawb o'i gydnabod, uwch ben eu digon fod Giaff yn fyw ac yn holliach a roedden nhw methu deall pam na allai Giaff fod yn teimlo'r un fath – yn wastadol ddiolchgar ac yn ddiarhebol o hapus, drwy'r amser.

Ceisiodd Giaff egluro i mi unwaith neu ddwy sut oedd o'n teimlo, ond dwi'm yn credu 'mod i wedi deall – dim mwy na ddaru neb arall. Yn lle meddwl fod yna batrwm a diben i bopeth, mi ddaeth Giaff yn raddol i'r casgliad nad oedd dim yn bodoli ar wahân i Hap a Siawns yn rheoli bywyd ar y ddaear. Roedd rhai yn cael crash, eraill yn llwyddo i'w osgoi. Roedd rhai yn colli eu bywydau, eraill yn dal gafael arno, rhai yn colli eu coesau, eraill yn cerdded yn rhydd – bwrw coelbren oedd y cyfan. Buan iawn y trodd y dôp roedd o arno yn gocên, yn fariwana, yn ecstasi, yn spîd, ac yn y diwedd yn smac. Roeddan ni wedi meddwl ella y bydda fo wedi gallu dod drwyddi fel y llwyddodd Her, ond roedd achos gofid Giaff gymaint dyfnach.

Yn y diwedd, daeth Giaff i'r casgliad nad oedd o eisiau byw. Nid rhyw deimlad o euogrwydd na dim o'r rwtsh yna gafwyd gan y shrinc oedd yr achos, jest y ffaith syml nad oedd ganddo ddim i fyw er ei fwyn. Pan fo rhywun yn llwyddo go iawn i beidio â bod eisiau dim o ddeniadau cnawd a byd, a phan nad oes ganddo unrhyw ideoleg i'w gynnal, anodd iawn ydi pledio'r achos pam y dylai barhau i fyw. Roedd Giaff ar eithaf arall y glorian i Her. Mi fyddai Her yn mynd drwy ddŵr a thân dim ond er mwyn y mwynhad o fod yn fyw, tra byddai Giaff yn mynd i unrhyw eithafion efo'r bwriad penodol o ddinistrio ei hun.

Rhywle rhwng y ddau eithaf hyn, roedd y gweddill ohonon ni feidrolion yn byw. Yn dal ein gafael ar bethau'n go lew, yn deall affliw o ddim, ond yn sylweddoli ar eiliadau prin mai'r unig beth oedd yn ein dal ni at ein gilydd oedd cariad. Gwres hwnnw brofais i'r noson ryfeddol honno yn Noddfa.

Doedd yna affliw o ddim byd arall i gynhesu'r gweddill, ac wrth i effaith y mwg drwg lacio ei afael, mi sylweddolon nhw pa mor wirioneddol oer oedd hi.

"Mae'n rhaid inni gael gwres," meddai Seibar, "dwi'n crynu".

"Fedar Ennyd mo'i gael o," atgoffodd Her o.

"Dydi Ennyd ddim yn teimlo'r oerfel. Mi ydw i. Rargian, Her – tu allan yn fan'na mae hi'n rhewi'n gorn!" Estynnodd am y bocs matsys.

"Dwi'm yn credu hyn – ti jest ddim yn cael y neges, nagwyt?" meddai Her yn bigog. "Os wyt ti yn cynnau'r tân 'na, fedrwn ni ddim cadw Ennyd yma – fydd raid mynd â hi i'r Cwt Claddu."

Cadwodd Seibar y matsys.

"Fyddan ni gyd yn y Cwt Claddu os arhoswn ni'n fan hyn," medda fo. "Dwi'n mynd i 'ngwely".

Ac i'w wely yr aeth o.

Dwi'n meddwl mai fi yn unig ddeallodd ddyfnder gofid Seib y noson honno.

3 Ionawr

WELODD GIAFF A HER mo'u gwlâu o gwbl drwy'r
nos. Roedden nhw yn benderfynol o herio
cyfyngiadau eu cyrff. Pan oedd y byd i gyd
yn ddistaw ac yn unig, a'r ddau yn reit sobr,
penderfynodd Giaff herio cyfyngiadau
confensiwn hefyd a mynd i nôl ei gamera.
Roedd gan Giaff ddawn arbennig i dynnu
lluniau, ond er inni bwyso arno'n gyson,
fydda fo byth yn trafferthu. Wn i ddim pryd
y gwelais i o efo camera ddiwethaf.

"Giaff – be goblyn?" gofynnodd Her

"Dwi isio tynnu llun Ennyd."

"Fedri di ddim"

"Rho un rheswm i mi pam."

"Does 'na neb byth yn tynnu llunia pobl
mewn eirch."

"Does 'na ddim lot o bobl yn heijacio arch i
gadw cwmni i gorff."

"Paid â galw Ennyd yn gorff."

"Dynnon nhw lun Che Guevara yn ei arch."

"Ei elynion ddaru hynny – i brofi mai nhw
ddaru ennill."

213

Bu bron i mi gael fy nallu gan y fflach sydyn.

"Paid Giaff!"

"Be sy'n bod arnat ti?"

"Fedra i'm deud…"

Fflach arall.

"Pam na chawn ni gofnodi galar?"

"Dwi'm yn gwbod, Giaff."

"Oes rhaid i bob llun wenu?"

Tynnodd ddau lun arall ohonof.

"Pam na chaiff angladdau fyth eu cofnodi ar ffilm?"

"Dwi jest ddim isio'i chofio hi fel hyn, Giaff."

"Mae o'r peth mwyaf sydd wedi digwydd iddi – ac inni gyd o ran hynny."

"Fedra i ddim ei dderbyn o."

"Dyna'r cwbl sydd o'n blaenau ni, Her."

"Ddim arch ydi'r lle i Ennyd…"

"That's life," meddai Giaff, cyn cywiro ei hun yn sydyn. Cadwodd ei gamera. "Mae Ennyd wedi marw. Mae hi wedi mynd. Dydi hi ddim yma. Does 'na ddim fedrwn ni wneud, Her."

"Oes tad, fedrwn ni ei chael hi allan o'r sglyfath peth 'na. Ty'd, helpa fi i'w chael hi allan."

Am faint oedd Her yn mynd i wadu'r ffaith?

214

A dyna ddaru nhw, fy nghodi o'r arch. Lwc nad oeddwn i'n gallu teimlo dim byd, doedd Her a Giaff ddim hanner mor ofalus â'r ymgymerwyr.

"Drycha, Giaff, does 'na ddim cefn i'r amdo 'ma – jest ruban i'w ddal o at ei gilydd."

"*Weird*... dyna be ydi ystyr cwtogi debyg... Edrych ar liw y croen."

"Paid Giaff..."

"Ffo! Sbia – mae hi'n hollol stiff!"

"Fel 'na maen nhw'n mynd, 'te. 'Randros, mae hi'n drwm."

" '*Dead weight*' maen nhw'n ddeud 'te?"

Wyddech chi ddim pa mor drwm oeddwn i'n fyw...

Fe'm gollyngwyd ar y llawr yn ddiseremoni.

"Be 'dan ni'n 'neud efo hi rŵan?"

"Jest gadael hi yma, ond mi fedrwn ni gysgu bob ochr iddi..."

Diflannodd Her a dod yn ôl efo dwy faner – yr hen un amlbwrpas efo 'Cyfiawnder' arni, a'r un arall efo llun colomen a 'Heddwch' mewn defnydd lliwgar. Wel, fasach chi ddim yn gwybod mai colomen oedd hi chwaith. Roedd hi'n edrych yn debycach i albatros. Nid gwnio oedd ein cryfder pennaf.

"Protest be ydi hon?" gofynnodd Giaff yn ddi-glem.

"Uniaethu efo'r ymadawedig ydan ni," oedd ei hateb. Lapiodd ei hun yn un faner a lluchio'r llall at Giaff.

"Hwda!"

Faswn i wedi lecio deud wrthyn nhw golwg mor ddiawchedig o wirion oedd arnyn nhw, ond mewn rhyw ffordd od, roedd o'n dod â chysur i mi. Doeddwn i ddim yn teimlo mor farw. Ro'n i'n dal yn un ohonynt.

"Fedra i ddim cysgu," meddai Giaff ar ôl dipyn.

"Na finna 'chwaith."

Na finna.

"Adrodd stori inni, Her."

Ac adrodd stori ddaru Her. Fedrwn i ddim penderfynu i be oedd Her yn debyg, p'un ai aelod o'r Orsedd, 'ta Gandhi 'ta *Ghostbuster*. Eisteddodd yn ei chadair ac adrodd chwedl o'i hoff lyfr, yn ei ffordd gwbl ddihafal ei hun. Hanes torri pen Bendigeidfran gawson ni.

"… A chymerwch chwi'r pen," ebe ef, "a chariwch ef i'r Gwynfryn yn Llundain a chleddwch ef â'i wyneb tua Ffrainc. A byddwch ar y ffordd yn hir; fe fyddwch yn ciniawa yn Harlech am saith mlynedd ac Adar Rhiannon yn canu ichwi. A bydd y pen cystal ei gymdeithas gennych ag y bu ar ei orau gennych pan fu arnaf i erioed... Ti'n gwrando, Ennyd?... Ac yng Ngwales ym Mhenfro y byddwch bedwar ugain mlynedd. A gellwch fod yno a'r pen gennych heb ei lygru hyd onid agoroch y drws tuag Aber Henfelen i gyfeiriad Cernyw. Ac o'r amser yr agoroch y drws hwnnw, ni ellwch fod yno. Cyrchwch Lundain i gladdu'r pen. A chyrchwch chwi yn eich blaen drosodd."

A dyma ni'n dod at y frawddeg olaf:

"Barod?"

"Ac yna – y torrwyd ei ben ef," – roedd Her a Giaff wastad yn licio adrodd y frawddeg honno efo'i gilydd, mewn arddull bregethwrol a thinc terfynol iawn yn eu llais. Yna, roeddan ni'n cael cwis. Roedd Her yn un dda am gwis.

"I lle'r aethon nhw wedi hynny?"

"I 'Werddon."

Naci tad, Giaff – i Dalebolion. Fi ddylai gael hwnna...

"Naci, Talebolion," meddai Her.

Marc i fi, taswn i'n gallu siarad.

"Be ddigwyddodd i Branwen?"

"Torri ei chalon a chael ei chladdu mewn bedd petryal."

Sawl gwaith oedden ni wedi adrodd y frawddeg honno'n ateb, a doedd o ddim wedi golygu dim inni? Rŵan, roedd o'n drwm o ystyr. Roedd ein bywydau bellach yn rhan o'r Mabinogi.

"Pwy ddaru goncro Prydain a deud y basa fo'n frenin Llundain?"

"Tony Blair."

"Ti isio ail gyfle?"

"Caswallon ap Blêr."

"Be ddigwyddodd i Garadog fab Brân a'r saith gŵr oedd efo fo?"

"Aeth hi'n smonach," meddai Giaff. " 'Nath Caswallon ap Blêr wisgo clogyn hud amdano a lladd chwech ohonyn nhw."

"Pam na laddodd o'r seithfed?"

"Am 'i fod o'n chwaer i'w nain-yng-nghyfraith o."

"Rong – Nai i fab ei gefndar."

"Digon agos."

218

"A be wedyn?"

"Dorrodd yntau ei galon. Efnisien, Bendigeidfran, Branwen a Caradog – dorrodd y cwbl eu calonnau."

Pethau brau ydi calonnau...

Roedd Giaff ar ei orau yn y nos. Mi fydda fo wedi gallu mynd ar *Mastermind* efo'i wybodaeth o'r Mabinogi.

Erbyn y bore, roedd yn anodd dweud pwy oedd y byw a phwy oedd y meirw yn ein plith. Daeth Seibar i lawr i weld tri chorff wedi eu lapio mewn baneri, fel tri spliff digon mawr i Bendigeidfran yng nghanol lot o stwmps bach.

"Be uffar...?"

Un o'r ychydig bethau da ynglŷn â bod yn gelain oedd nad oedd yn rhaid i mi helpu clirio. Mi rhoeson nhw fi ar y soffa a gwneud job go lew o glirio'r stafell. Cafodd Her gawod i helpu ei chynhesu wedi noson mor oer.

Rasmws a Malan ddaeth draw yn y bore. Roedd y stori 'mod i lawr yn Noddfa yn amlwg wedi mynd rownd. Malan gyrhaeddodd gynta – heb Job, diolch byth. Wn i ddim be fydda fo wedi ei wneud dan yr amgylchiadau.

"Biti na fyddai Ennyd yn gwybod bod Sguthan yn saff efo mi," meddai Malan.

"Pam na ddywedi di wrthi?" oedd cwestiwn Her.

" 'Dwn i ddim os fedra i."

Doedd Malan ddim yn gallu siarad â mi yn yr un modd ag y gallai'r lleill. Roedd gan bawb eu ffordd eu hunain o ddelio â'u colled.

"Pam ydach chi wedi ei thynnu hi o'r arch?" gofynnodd Malan.

"Doedd hi ddim yn ffitio," meddai Her, "ac roedd hi'n ddiawledig o anghyfforddus."

"Sut gwyddost ti?"

Llusgodd Her yr arch i ganol y stafell a gorwedd ynddi.

"Hyn sydd i ddatgan yn swyddogol fod yr arch hon yn hynod o anghyfforddus ac nad ydi'n cydymffurfio â Safonau Masnach Prydeinig. Wyt ti'n fodlon rŵan?"

"Her..."

Y funud honno, goleuodd wyneb Her a gwyddwn ei bod wedi cael Syniad Penigamp. Lapiodd ei hun yn y faner 'Heddwch' eto a gorwedd yn ôl yn yr arch. "Neb i ddeud gair pan ddaw Rasmws," meddai, "a Giaff – dos i

220

guddio tu ôl i'r soffa."

Ymhen hir a hwyr cyrhaeddodd Rasmws. Roedd o yn dric arbennig o wael i'w chwarae – hyd yn oed yn ôl ein safonau ein hunain. Mi weithiodd yn well na'r disgwyl am nad oedd golwg Rasmws yr hyn ddylai fod. Llwyddodd pawb i gadw wynebau syth.

"Felly mi lwyddoch i ddod â hi yma," meddai Rasmws wrth ddod i mewn. "Go dda chi."

"Y dewis arall oedd y Cwt Claddu."

"Ych a fi, hen lefydd annynol ydi'r rheini," meddai Rasmws fel tasa fo wedi gwario dyddiau yno ei hun.

"Panad, Rasmws?"

"Diolch." Crwydrodd ei lygaid i gyfeiriad y soffa. "Pwy sydd wedi cael KO yn fan'cw?"

"Giaff – pwy arall?"

"Be 'naethoch chi neithiwr?"

"Gawson nhw noson gwis, ac es i 'ngwely oherwydd yr oerni."

"Mae hi'n ddiawchedig o oer yma." Dyna pam oedd pawb yn eu cotiau.

"Wyt ti ddim am gymryd golwg iawn arni 'ta?" gofynnodd Seib.

Cododd Rasmws ar ei draed a mynd i sefyll wrth yr arch.

"Duwch, mae golwg reit dda arni, o 'styried ei bod wedi marw ers tridiau."

"Roedd hi'n wahanol i bawb 'toedd?" meddai Malan.

"Be ar y ddaear sydd amdani?"

"Rydan ni wedi gwnio 'Heddwch' ar yr amdo – fatha 'heddwch i'w llwch' teip o beth..."

"Syniad da."

"Ei bwydo hi efo grêps ydan ni," meddai Seib, a dyma fo'n estyn clwstwr o grêps a'u hongian uwchben y geg yn yr arch. Yn raddol iawn, agorodd y geg, bachu un o'r grêps, a'i chnoi'n hamddenol.

"Duwadd mawr!" meddai Rasmws, "mae hi'n fyw!"

Ddaru ni fethu cynnal y jôc yn hwy na hynny. Lledodd gwên fawr ar hyd y wyneb yn yr arch ac roedd pawb yn marw chwerthin, ond y fi wrth gwrs.

Cododd Her ar ei heistedd yn yr arch, ac yna camu allan ohoni. Fedrwn i ddim peidio â theimlo peth eiddigedd.

222

"Golwg dda arna i felly, Rasmws?"

Roedd Rasmws yn eistedd a'i ben yn ei ddwylo, ddim yn siŵr be i wneud p'run ai chwerthin neu grio.

"Yr ora eto," meddai Malan.

"Wna i byth faddau i chi am hyn," meddai Rasmws, ac mi gymrodd hi dipyn iddo ddod ato'i hun. Ond maddau iddyn nhw fasa fo, fel bob tro o'r blaen, a byddai'r stori yn dod yn rhan o'u chwedlonaieth.

"Dydi Ennyd ddim yma 'ta?" meddai Rasmws ar ôl dipyn, yn dal i geisio gwneud synnwyr o'r cyfan.

"Ennyd ydi'r un ar y soffa, y llymbar dall," eglurodd Giaff, wedi dod allan o'i guddfan, a dyma fo'n egluro pam roedden ni wedi ein lapio mewn baneri, a manylu ar hanes neithiwr a sut brofiad oedd o i rannu tŷ efo corff.

"Reit, ydan ni'n mynd i fyny Wyddfa ai peidio?" gofynnodd Her yn ddiamynedd. Roedd hi wedi bod yn mwydro am y trip hwn i'r Wyddfa a doedd neb yn cymryd sylw ohoni. Ond os oedd Her am wneud rywbeth, doedd dim modd ei stopio. Mi fyddai'n haws perswadio Mwslim i wadu'r Quran na newid meddwl Her.

"Eglura'r syniad inni'n iawn," meddai Malan, "be yn hollol ydan ni'n bwriadu ei wneud?"

" 'Run peth ag oeddan ni'n bwriadu ei 'neud Nos Calan – 'mond bod ni'n cymryd y dewis hawdd a mynd efo trên – gan fod un ohonon ni wedi marw yn y cyfamser ac yn cael trafferth cerdded…"

"Trên? Trên Bach yr Wyddfa?"

"Naci, Rasmws – Trên Bach y Bali *Trans-Seiberian Express* – meddwl basan ni'n picio i Vladivostock am de…"

"Ddo i efo chi os ydach chi'n meddwl mynd ar y trên," meddai Rasmws. "Wyddwn i ddim ei fod o'n rhedeg amser yma o'r flwyddyn heb Fisitors."

"Mae o'n rhedeg am yr wythnos yma'n unig," eglurodd Seib, "cyfraniad Llanbêr i ddathliadau'r Mileniwm."

"Ydi o'n gwestiwn gwirion be ydan ni'n 'neud efo Ennyd?" gofynnodd Malan.

"Wel, ro'n i'n meddwl basa'r gweddill ohonon ni'n cymryd y trên ac y basat titha a

Rasmws yn cael cario Ennyd i'r top..."

"Her – bydd o ddifri am unwaith," crefodd pawb.

Roedd cymryd ei hun o ddifri yn beth anodd i Her – yn anos nag ydoedd i'r rhelyw.

"Deud ti, Seib."

"Y syniad oedd ganddon ni oedd cael stretsiar i gario Ennyd."

"Stretsiar? Sut mae egluro hynny i bobl eraill? Ein bod ni'n cario'r meirw i fyny mynyddoedd ar stretiars?"

"Mi feddylia i am rywbeth," meddai Seib.

Roedd Her yn flin.

"Jest stopia feddwl am y problema trwy'r amser, Malan. Tria gofio be ydi gweledigaeth. 'Dan ni'n ei wneud o er mwyn Ennyd."

Nag wyt ti ddim, Her, gad dy gelwydd. Ti'n ei 'neud o am ei bod hi'r her fwya ti wedi ei chael ers talwm, am ei fod o'n syniad gwallgo gwyllt a gwirion a dwi'n dy garu di am fod mor driw i ti dy hun... Dwi bron â marw eisiau gweld be ddaw o'r cynllun hefyd...

Yn diwedd, cyrhaeddodd Pill efo hen stretsiar o rywle ac mi ddaru nhw fy lapio mewn bob math o flancedi, sodro het wlân

225

am fy mhen, sgarff a sbectol dywyll i guddio fy wyneb, a strapiau cadarn i 'nghadw i yn fy lle. Wasgon ni i gar Malan ac i ffwrdd â ni. Er ei fod o'n *estate*, roeddan ni fel sardîns bron a threngi. Roedd gyrru Malan yn llai sidêt na'r hers.

"Lle hoffet ti fynd ar ddydd olaf dy fywyd, Malan?" gofynnodd Rasmws.

"Ynys Enlli dwi'n meddwl."

"Be amdanat ti Seib?"

"*Day-trip* i Groeg i addoli'r haul."

"Giaff?"

Dim ateb gan Giaff.

"*Day-trip* i'r Khyber Pass fydda'n gneud tro i Giaff – iddo fo gael llenwi ei ben efo jync am tro ola."

"Her?"

"Dwi'm yn gwbod. Dwi ddim isio meddwl am y peth."

Roedd Her yn bendant yn cael Diwrnod Pigog. Dim ond fi fel arfer fyddai'n gallu gwneud efo hi ar ddyddiau fel hyn. Roedd y lleill yn colli 'mynedd efo hi.

"Be amdanat ti dy hun, Rasmws?"

"Stydi Pantycelyn."

"Pam?"

"I gael sbecian."

"Be fasat ti'n disgwyl ei weld?"

" 'Mond i ista yna a meddwl sut ddaru Pantycelyn baratoi ei hun ar gyfer y byd a ddaw."

Fel arfer, fyddai neb yn deall lot o bethau fyddai Rasmws yn eu dweud, ac roedden ni jest yn gadael llonydd iddo. Ond rŵan, mi feddyliais am hir am be ddeudodd Rasmws. Y drafferth fawr oedd na wyddwn i ddim am Bantycelyn. Fedrwn i ddim dwyn lot o emynau i gof, heb sôn am wybod pa rai oedd rhai Pantycelyn.

Ddeudodd Pill mai mynd i fyny'r Wyddfa fasa ei ddymuniad o, a doedd neb yn synnu. Wyddai neb beth oedd fy nymuniad i.

Yng ngorsaf y trên bach yn Llanberis, Seib gafodd y gwaith o archebu tocynnau.

"Chwech ticad... ym, ac mae gen i un arall ohonon ni ar stretsiar..."

Gwthiodd y dyn ei drwyn at y gwydr i drio gweld.

"Ysbyty ydi'r lle gora i hwnna."

"Newydd ddod o fan'no mae o. Gath o ddamwain yn dringo."

227

"Be mae o'n dda yn fan hyn 'ta?"

" 'Dan ni'n mynd i'w wneud o ffordd saff tro 'ma. Mae hyn yn rhan o'r therapi. Rhag ofn bydd o ofn mynd fyny Wyddfa am weddill ei fywyd, math-o-beth."

Roedd y dyn yn mynd yn fwy amheus. "Fasa ddim yn well iddo fo fod adra?"

"Isio awyr iach mae'r creadur… Ydach chi'n codi am stretiars?"

"Ddim os ydi'r ddamwain wedi digwydd ar Wyddfa."

"Do – mi ddaru hi – ar Grib Goch oedd o ar y pryd…"

"Naci…mewn *emergency* – os digwydd bod rhywun funud honno mewn peryg, 'neith y trên eu cario nhw i lawr…"

" 'Run fath ydi hyn – blaw bod hwn isio mynd i fyny."

"Dydi o'm run fath o gwbl. Brysiwch, mae gen i giw."

Ond dal ati wnaeth Seib, "Be ydi'r gwahaniaeth rhwng mynd i fyny a dod i lawr?"

"*Emergency* ydi dod lawr, plesar ydi mynd fyny."

228

"Ac ydi hwn yn edrach fel tasa fo allan i fwynhau, ydi?"

"Dim ticad – dim trip."

"Faint ydach chi am godi ar y cr'adur 'ta?"

"Fydd rhaid i mi godi dwbwl – fydd o'n cymryd dwy sedd."

"Ond mae o'n ddifrifol wael!"

"Geith o 'compo' ceith?"

"Fasa tipyn o 'compo' gynnoch chi ddim yn syniad drwg, gan ma'ch blydi mynydd chi oedd yn gyfrifol am ei falu fo."

"Ga i air efo'r manijar..."

"Na!" meddai Malan, "mi dalwn ni."

"Dyna setlo hynna 'ta. *Single* neu *return*?"

"Os digwydd iddo farw ar y top, geith o ei brês yn ôl?" Roedd Seib yn gwthio ei lwc.

"Peidiwch â chymryd sylw ohono fo," meddai Malan, "wedi ypsetio braidd mae o."

"Mae o wedi f'ypsetio inna bellach. Hwdwch – wyth ticad."

"Hen gorcyn styfnig... pwy oedd o'n feddwl oedd o – pennaeth British Rêl?"

"Hitia befo, Seib."

"Os oes 'na Sais ddiawl mewn plastar, mae o'n cael dod i lawr am ddim..."

Y peth ola o'n i eisiau oedd pregeth Seib yn erbyn Saeson.

Dyna sut ddaru mi landio am y tro cyntaf a'r tro olaf yn fy mywyd ar Drên Bach y Wyddfa. Roedd y cerbyd yn llawn dop efo Fisitors a ryw ddynas mewn iwnifform yn mynd i fyny a lawr yn gwerthu tocynnau Loteri y Mileniwm. Doedd o ddim cweit run fath â'r hyn oedd ganddon ni mewn golwg nos Calan... Efo Her mewn hwylia drwg, Seib wedi pwdu, Giaff ar dôp a minna wedi marw, doedd fawr o hwyl ar y criw. Roedd amball un o'r Fisitors yn edrych yn ddigon rhyfedd arnaf i.

"Penny for the guy," meddai Seib wrth bâr busneslyd oedd yn mynnu syllu arnaf, a dyma nhw'n troi i edrych drwy'r ffenest.

Fedra i ddim smalio bod y daith i fyny yn un o brofiadau mawr fy mywyd. Yn fflat ar fy nghefn ar stretsiar, doeddwn i ddim yn gweld dim byd blaw yr awyr, a gan fod gen i sbectol haul ar fy nhrwyn, roedd honno'n awyr biws, ryfadd.

Roedd Pill a Rasmws a Malan yn trio gwneud sgwrs a chymryd arnynt fod popeth yn iawn.

"Dwi'm yn meddwl eu bod nhw wedi gweld llawer o bobl ar stretsiars o'r blaen," meddai Malan.

"Ddim rhai wedi eu lapio mor dda â hon beth bynnag."

"Be ydi *stretcher* yn Gymraeg, tybad?" holodd Rasmws yn tyrchu yn ei eiriadur pocad. Tra oedd pawb arall yn sicrhau fod ganddynt hances neu handbag neu heroin cyn mentro allan i wynebu'r byd, fyddai Rasmws ddim yn meiddio mynd allan heb ei eiriadur.

" 'Dwn i ddim Rasmws, be ydi *stretcher* yn Gymraeg? Mae'r peth wedi 'mhoeni i ers talwm..."

"Trestl... stretsiar... yntydi'r Gymraeg yn iaith gyfoethog?... dyma welliant...'elorwely'."

Tydi hynny'n rhoi fawr o obaith i'r person druan sydd arno, nac ydi?" meddai Malan.

"Mae 'na fwlch rhwng dau fynydd a dyna be maen nhw'n ei alw fo – Bwlch y Ddwy Elor." Roedd Pill yn llawn o ryw berlau bach o wybodaeth fel hyn.

Ond roedd fy meddwl i ar rywbeth arall y

231

pnawn hwnnw. Roedd o'n llawn angylion. 'Be ydi angal?' Dyna oedd y cwestiwn mawr oedd yn mynnu curo'n ddyfal yn fy meddwl. Be ufflon ydi angal? Mi fûm yn meddwl am yr holl angylion y gwyddwn amdanynt. Gabriel yn stori'r Dolig, yr angal ddaeth i ddeud am Iesu Grist wrth Mair, yr angal gwffiodd efo Jacob – ges i'r hanesion hyn yn 'Rysgol Sul gan Miss Preis, ac roedd angylion bryd hynny mor real â dewiniaid a dreigiau. Llond y lle o angylion yn y nefoedd fel gweision bach i Dduw, angylion ar gardiau Dolig, angylion mewn eglwysi, angylion mewn ffilmiau – efo adenydd, heb adenydd, yn chwilio am adenydd, angylion mewn barddoniaeth, angylion mewn athroniaeth a faint ohonynt fedrai sefyll ar ben pin. Oedd gan rywun yn y byd syniad be oedd angal? Mae'n rhaid fod rhyw sail iddynt neu fasan nhw ddim yn cael eu cydnabod yn gyffredinol drwy holl wledydd y Cred. Faswn i byth yn gweld angal? Faswn i'n gweld angal ddydd Mercher?

Bellach, roedd o'n prysur dyfu yn obsesiwn, y syniad hwn o beth fyddai'n digwydd i mi ddydd Mercher. Yr ofn mwya sydd gen i yw na fydd dim yn digwydd. Mae hwnna wedi bod yn hunllef i mi ar hyd fy mywyd – Y Dim Mawr. Stopiais gredu mewn Duw rai blynyddoedd wedi i mi roi'r gorau i gredu mewn Santa Clôs. Un cam arall yn y broses o dyfu i fyny ydoedd. Mi ges i'r rhan fwyaf o'r argyfyngau arddegol, yn y modd y caiff plant frech goch neu frech ieir pan yn iau – nihilistiaeth, hedonistiaeth, bwdistiaeth, mi fûm yn anffyddiwr, agnostic, anwadal yn fy nhro. Ond doedd dim un o'r rhain yn ddigon o darian i'm gwarchod rhag Y Dim Mawr. Fyddwn i ddim yn caniatáu i mi fy hun fyfyrio arno'n rhy aml. 'Dim fi' oedd ystyr y Dim Mawr – dim o gwbl. Dim am 'chydig bach o amser, nac am lot, ond Am Byth. Dadleuai fy ffrindiau na fyddwn i byth yn ymwybodol o'r stâd hwn o 'ddiffyg fi', ond fedrwn i mo'i credu. Yr uffern waethaf un fyddai colli gafael ar hunaniaeth tra'n dal i fod yn ymwybodol o'r hunan. A doedd digwyddiadau'r tridiau diwethaf ddim wedi gwneud dim i leddfu fy ofnau ynghylch hynny.

Stopiodd y trên.

"Welcome to the summit of Snowdon,"

meddai'r ddynes mewn iwnifform ac acen gref Arfon ar ei gwefusau. *"From here you can see most of the spectacular peaks of the Snowdonia range in all their splendour. You will have approximately half an hour on the summit, during which you can enjoy refreshments. These can be purchased from the cafeteria, where there is also a licensed bar. The Souvenir Shop has a variety of goods on offer, and you'll be glad to know that there are toilet facilities as well. Have a nice time."*

Rhywbeth felly roeddan ni wedi gobeithio ei osgoi wrth ddod yma i weld y wawr ar Ddydd Calan.

"Dyna chi wedi cael clywed Brenhines yr Wyddfa yn ei holl ogoniant," meddai Rasmws. "Mae gen i gywilydd ohonon ni fel cenedl weithia."

"Hen sguthan wirion," oedd unig sylw Seib.

Ond doedd o mo'r amser na'r lle i fod yn chwerw, ac wrth inni ganfod lle gweddol dawel i ni ein hunain, mi gafodd pawb gyfle i ddod at ei goed. Ddaru nhw osod y stretsiar ar ongl fel y gallwn i weld yr olygfa. Biti ei bod hi mor niwlog.

234

"Be ydi be rŵan?" holodd Rasmws. Doedd o ddim mor gyfarwydd â'r lle â'r gweddill ohonom.

"Crib Goch ydi fan'cw… Crib Glas ydi hwnna… a Chrib Pinc ydi'r pella."

"Seibar – deud yn iawn, dim ond y chdi sy'n cofio."

"Crib Goch a Chrib y Ddysgl ochr yma, Lliwedd yr ochr arall a Llyn Llydaw yn y gwaelod – lle mae llynnoedd fel rheol."

"Dda ei bod hi mor glir â hyn o 'styried mai mis Ionawr ydi hi."

"Elli di jest gweld Moel Siabod draw fan'cw… a'r Glyder ochr arall."

Radeg honno y sylweddolais i mai ar fy llygaid i oedd rhywbeth yn bod ac nid ar y tywydd. Ddaru neb feddwl tynnu'r sbectol haul oddi ar fy wyneb, ond dydw i ddim yn meddwl y byddai hynny wedi gwneud llawer o wahaniaeth. Prin y gallwn i weld unrhyw beth.

Wrth wrando arnynt yn trafod yr enwau oedd mor gyfarwydd i mi ag enwau brodyr a chwiorydd, mi deimlais bwl eithafol o unigrwydd. Hyd yn oed taswn i ddim wedi fy lapio mor dda, mae'n gwestiwn gen i a fedrwn deimlo'r gwynt yn crafu fy wyneb gyda'i oerni, neu'r iâs aeafol oedd yn peri i'r lleill swatio at ei gilydd. Doedd yna'r un teimlad cyffelyb i eistedd ar ben mynydd, trochi'r hunan yn yr awyr iach a nofio'n feddyliol yn yr ehangder mawr tra'n mwynhau blas brechdan a gwledda ar yr olygfa. Dyna oedd marw yn ei olygu – colli hyn i gyd.

Mor wahanol y byddai pethau wedi gallu bod tasan ni wedi llwyddo i ddod yma y noson o'r blaen ar doriad gwawr. Teimlais frathiad y golled yn fwy hegar nag erioed o'r blaen. Roedden nhw bellach – bendith arnyn nhw – wedi pellhau. Doedden nhw ddim yn siarad cymaint â mi. Roedd y gagendor yn tyfu ac yn ein gwahanu'n gyflym.

Roedd mwy o flas ar eu sgwrs ar y ffordd i lawr, a'u profiad ar y copa wedi dod â hwy yn nes at ei gilydd. A mwya'n y byd oeddan nhw'n closio, pella'n y byd y teimlwn inna.

Yn Noddfa y noson honno, mi ddaru nhw fynnu rhoi'r gwres ymlaen, fy rhoi i yn ôl yn yr arch a 'ngwthio i ben draw y stafell yn agos i ddrws y gegin. Doedd hi fawr o golled, roedd pob man bellach fel petai yn y gwyll, a dim ond amlinell pethau a welwn. Aeth Malan adref at ei theulu, trodd Rasmws tua thref, ond arhosodd Pill. Er yr oerni, diau fod Noddfa radd neu ddwy yn gynhesach na'i gartref o.

"Panad i bawb o bobl y byd," meddai Seibar, "Her... Pill... Giaff... Dwi wedi rhoi llwyaid o wisgi ynddo fo am lwc hefyd."

"Fedra i mo'i gymryd o 'ta," meddai Giaff. Roedd o'n llwyrymwrthodwr cyn belled ag oedd alcohol dan sylw.

"Ŷf o – falla daw â ti'n ôl i'r ddaear. Dwi'm wedi cael sgwrs gall efo ti ers dwy flynadd."

"Fydd isio mwy na wisgi i 'nghnesu i," meddai Her. " 'Ddychmygais i 'rioed y byddai hi mor oer. Wrth gerddad, tydi rywun ddim yn sylwi, ond roedd bod ar y trên 'na fel cael reid mewn oergell ar olwynion."

" 'Dwyt ti 'rioed wedi bod ar dop Wyddfa mis Ionawr o'r blaen," oedd unig sylw Giaff.

A doedden ni ddim 'chwaith. Fedra i ddim meddwl am yr un adeg yr aethon ni fyny heb fod o leia yn llewys ein crys neu'n toddi dan haul crasboeth. Ond wedyn, falle mai dim

237

ond rheini oedd y dyddiau cofiadwy.

"Be'r andros ydi hwn?" holodd Pill mewn rhyfeddod.

"Ga i weld o… o diar," meddai Her.

"Ydi o'n da i rwbath?"

"Mae o werth ugain punt o leia – neu mi roedd o. Seibar! mae Pill wedi dod o hyd i dy contact lens di…"

" 'Drycha golwg arni!"

"Ddim mewn blwch llwch ddylat ti cadw nhw, Seibar bach. Os nad oes mwy o ots na hynny gen ti am dy olwg, waeth ti wisgo rislars dros dy lygaid…"

"Yli ar y gocrotsian 'na oddi tani yn ganol y llwch – be mae hi'n ei weld drwy'r gwydr?" gofynnodd Pill.

"Dy wyneb di wedi cynyddu gan gwaith mewn maint – y gryduras, ddaw hi byth dros y sioc."

"Hei, mae'r lens wedi mynd yn hollol galed," meddai Seibar efo siom yn ei lais.

"Rigamortis," awgrymodd Giaff.

"Dyna ddiwedd ar y myrraeth yna 'ta," meddai Seib yn ddigalon.

" 'Dan ni'n dy licio di fel wyt ti, sbecs a

238

chwbwl," meddai Her.

"Biti na fyddat ti wedi cyfadda hynna'n gynt."

Tybed a fyddai Seib yn dechrau troi ei olygon tuag at Her rŵan?

Y noson honno, mi adroddodd Her ragor o storïau. Parhad o stori'r noson cynt gawson ni – am ffrindiau Bendigeidfran yn cael sesh fawr am saith mlynedd yn Harlech tra'n gwrando ar Adar Rhiannon. Amdanyn nhw'n ei throi hi tua Gwales ym Mhenfro ac yn mynd i ryw neuadd. Yn y neuadd honno, roedd y trydydd drws nag oeddan nhw i fod i'w agor. Am bron i gan mlynedd mi fuon nhw uwch ben eu digon, heb fynd yn hŷn nac yn poeni am ddim, a phen Bendigeidfran yn gwmni mor ddiddan ag erioed. Ddaru'r awyrgylch yna f'atgoffa i'n sydyn o Steddfod Bala, a mor hapus fuon ni yn y Steddfod honno a chymaint o hwyl gawson ni.

Ond mi ddaeth diwedd ar y mwynhad pan gymerodd Heilyn fab Gwyn yn ei ben i agor y drws achos fod ganddo gymaint o eisiau gwybod beth oedd tu hwnt iddo. Ac wrth gwrs, pan agorwyd y drws ar Aber Henfelen, be ruthrodd trwyddo ond gofid a henaint ac ofn a dagrau a'r holl ddrwg fu'n cyniwair cyhyd. Mi ddiflannodd y diddanwch i gyd.

Her oedd yr unig un arhosodd efo fi'r noson honno ac aeth y lleill i'w gwelâu. Mi steddodd Her efo mi ar y llawr yn ymyl yr arch a mynd drwy holl hanesion yr anturiaethau gawson ni gyda'n gilydd. Doedd neb yn gallu adrodd stori gystal â Her.

Soniodd sut y bu inni gyfarfod am y tro cynta 'rioed – stori ro'n i wedi ei hen anghofio. Soniodd am sut y tyfodd y berthynas yn gyfeillgarwch, a'r pethau bach hynny fu'n allweddol i'n tynnu'n nes at ein gilydd. Be barodd inni chwerthin a be barodd inni golli dagrau. Soniodd am yr amseroedd da a drwg, y troeon y bu inni ddigio'n bwt, y naill wrth y llall, cyn cymodi. Ar adegau prin y byddem yn ffraeo, ond gyda dau enaid mor danbaid yn taro'n erbyn ei gilydd, roedd hi'n storm werth chweil. Soniodd am gariadon y ddwy ohonom, y treialon a'r troeon trwstan, a'r llawenydd. Adroddodd storïau ro'n i wedi eu clywed ganwaith a chyfaddefodd bethau na chrybwyllodd hi erioed o'r blaen. Rhannodd ei chyfrinachau i gyd, atgoffodd fi o'm rhai i. Soniodd wrthyf am ei hofnau a'i gobeithion, ei syniadau a'i breuddwydion. Mi rannodd y cyfan â mi.

Mi ges fy niddanu ganddi drwy'r nos ac oriau mân y bore. Mae'n rhaid ei bod wedi ymlâdd, wedi colli dwy noson o gwsg. Ond cannwyll felly oedd Her, yn llosgi'n eirias wyllt am ddyddiau, yna'n diflannu i'w gwâl am ryw ugain awr cyn gallu wynebu'r byd drachefn.

Roedd ei llais hi'n mynd yn bellach ac yn bellach oddi wrthyf, er nad oedd hi ond ychydig fodfeddi o'm clust, ond fe'i teimlwn yn llithro o 'ngafael i. Ymdrechwn i'r eithaf i wrando arni'n agor ei henaid i mi ac yn dweud pethau na fyddai byth yn eu dweud wrth unrhyw un arall tra byddai byw. Nid mai'r geiriau eu hunain oedd y pethau pwysicaf i'w clywed. Drwy ei chariad ffyrnig a'i theyrngarwch eithafol, roedd hi eisoes wedi mynegi'r cyfan oedd raid iddi. Roedd hi wedi cael ei gadael ar draeth, ac roedd fy nghwch i yn mynd yn bellach ac yn bellach oddi wrthi. Roedd ei ffurf yn mynd yn llai, ac yn llai, ac yn llai. Peidiodd y sibrwd egwan yn fy nghlust.

O'r ddwy ohonom, Her oedd yn cael y dasg galetaf. Ro'n i wedi gallu wynebu ar unwaith yr hyn y methodd hi ei wynebu – er gwaethaf cryfder ei chymeriad. Gwadodd y ffaith yn daer, am dridiau, heriodd rym Angau, ond fe'i gorfodwyd i'w dderbyn yn y diwedd. Diau mai dyna'r dasg anoddaf iddi ei gwneud erioed. Byddai'n haws iddi fod wedi ffarwelio â'i henaid ei hun. Do, bu raid iddi hitha agor yr hen ddrws hwnnw tuag at Aber Henfelen a gadael i'r gofid lifo trwyddo.

Theimlais i mohoni, ond gwn mai hi a gaeodd fy llygaid yn y diwedd. Ro'n i wedi darfod.

4 Ionawr

Niwlog ydi f'atgofion i o'r diwrnod yma, os mai diwrnod oedd o. Arferai diwrnod gael cychwyn a diweddglo pendant, a'r hyn a ddigwyddai rhwng y ddau bwynt yna oedd yr hyn a roddai siâp a ffurf a blas i'r diwrnod. Dyna a'i gwnâi yn uned gofiadwy o'r flwyddyn. Gyda fy ngolwg, fy ngallu i arogli a 'nghlyw bron iawn wedi 'ngadael, ro'n i wedi colli fy llinell gyswllt â'r byd. Roedd ffôn fy synhwyrau wedi ei ddatgysylltu.

Digwyddodd hynny fwy nag unwaith nôl yn nyddiau Siliwen, a byddai'n effeithio arnom lawer mwy nag y tybiai rywun. Heb ganiad y ffôn i atalnodi'n bywydau, roedd hi'n annioddefol o ddiflas. Doedd 'na ddim i ddarfu ar y tawelwch, neb yn gallu ffonio i gyfarch neu i arthio arnom, neb yn ein gwadd allan, neb yn cysylltu'n gwbl annisgwyl o ben draw'r byd, neb eisiau trefnu oed, neb yn holi sut oeddem, neb yn tynnu coes nac yn gofyn am gymorth. Mi wnaethon ni gyd yr aberth eithaf bryd hynny ac ymatal rhag mynd allan i fwynhau am wythnos gyfan er mwyn talu Bil y Ffôn. Roedd o'n achos cymaint o lawenydd pan glywsom y trydar mecanyddol drachefn. Mi gaech chi bobl oedd yn casáu teliffonau ac yn methu'n lân â dygymod â hwy. Ffôn i mi oedd dyfais bwysicaf y ganrif.

Dyna un lle y byddai ffôn symudol yn handi – mewn arch. Roeddan nhw'n symbolau yr oeddwn wedi eu casáu, ond byddwn wedi cydsynio i rannu arch ag un. Dechreuais feddwl am yr holl bethau eraill fyddai'n ddefnyddiol i mi eu cael mewn arch: lluniau, llyfrau, llythyrau ac anrhegion bach – pethau fyddai'n amddifad o unrhyw werth ymarferol, ond eu bod yn gyfrwng cysur i mi. Tybed fyddai Her a Seib a Pill yn mentro cuddio pethau yn yr arch – fel syrpreis? Mae'n siŵr fod rheolau caeth ynglŷn â hynny i sicrhau nad oedd neb yn smyglo pethau i Annwn. Synnwn i ddim fod ganddyn nhw gamera pelydr X o dan dir y fynwent i sicrhau fod eich arch yn cyd-fynd â safonau glanweithdra a didwylledd y Wladwriaeth. Peth od na fyddai ganddyn nhw ddyfais i sensro meddyliau'r meirw.

Oriau meithion digalon a'm cystwyodd wedyn, oriau yn llawn alar.

Profiad rhyfedd ydi hofran rhwng deufyd. Ro'n i'n ymdrechu i ddal gafael ar f'atgofion, ond roedden nhw'n mynnu dianc. Roedd o fel taswn i wedi torri wy ar ddamwain ac yn ceisio dal ei gynnwys yn fy nwylo tra mynnai lithro o'm gafael.

Lluniau sydd gen i yn fy meddwl – lluniau sy'n melynnu'n gyflym fel na allaf weld yn iawn pwy sydd ynddynt. Cyffyrddiadau dwi'n eu cofio orau – gafael mewn llaw, cofleidio, cusan, mwytho, cael fy ngwasgu ar soffa rhwng cynhesrwydd ffrindiau. Gwres ydi un arall sy'n prysur droi yn angof, gwres panad mewn llaw, gwres tân glo yn treiddio trwy ddillad, gwres corff arall rhwng cynfasau, gwres pryfoclyd haul ar groen. Ceisiaf gofio sut brofiad ydyw i beidio gorwedd yn llonydd, i gael y gallu unwaith eto i symud fy nghorff, i redeg a dawnsio a cherdded a chanu, i fod yn hyblyg a meddal a chrwn drachefn. Dwi eisiau clywed sŵn cyfforddus cloc yn tician, plant yn chwarae, sŵn alaw, sŵn pobl, sŵn cân. Dwi'n colli lleisiau yn fwy na dim.

Dwi eisiau golchi fy hun mewn dŵr rhedegog a bod yn ymwybodol o'm corff fy hun. Mae 'na archwaeth anferth ynof am gael profiadau eto, ysfa am deimlo gwynt, chwant am flasu heli ar fy ngwefus, nwyd gwallgo eisiau bod yn fi unwaith eto, gwanc am gael gwasgu 'nannedd mewn eirin gwlanog a meddwi ar eu sawr. Rhosod, gwin, ogla nionod, nytmeg, melfed, sgarled, surni, dagrau, cân, mêl... car cyflym, ffôn swnllyd, rhuthr, ffraeo, poen – unrhyw beth i darfu ar y llonyddwch llethol hwn.

Ac mae'n dal i ddod tuag ataf, yn cosi bodia 'nhraed, y Dim Mawr sy'n dod i'm llyncu. Mae'n dŵad dros y bryn yn ddistaw, ddistaw bach, mae'n codi'r fflodiart ac yn troi'n afon lifeiriol gref sydd â'i bryd ar fy moddi. Mae'n dwyn oddi arnaf bob gronyn o atgof, mae ei bwysau plwm yn fy ngwasgu, mae'n dwyn fy anadl, mae'n fy mygu yn llwyr.

Dydw i erioed wedi ei wynebu fel hyn o'r blaen. 'Ddychmygais i 'rioed y byddai'n rhaid i mi ei wynebu ar fy mhen fy hun. Rywsut, roedd 'na rywun wastad yno, yn rhiant, yn chwaer, yn gymydog, yn ffrind. Fûm i erioed heb rywun i droi ato. Ond rŵan, fi fy hunan bach sydd yma, yn fy nhlodi a'm noethni, heb rym, heb driciau, heb amddiffynfa. Fi – fu mor glên efo fi'n hun, yn maddau 'meiau, yn troi llygad ddall, yn anwybyddu 'niffygion, yn esgusodi 'mhechodau, yn credu bod 'na wastad gyfle arall a dydd arall i wynebu cwestiynau anodd bywyd.

Mae'r Dim Mawr yn nes nag erioed yn awr, yn bresenoldeb agos, yn anadl ar fy ngwar, yn gysgod anghyfforddus, yn disgwyl ei gyfle a'i lygaid yn llawn trachwant. Mae'n mentro cyffwrdd ynof, o! mor ysgafn, gan fyseddu amlinelliad fy nghorff. Does dim cariad yn y teimlo, dim cynhesrwydd, dim ond gwybodaeth sicr y bydd yn fy nhrechu. Popeth fu'n fi, popeth a frwydrais drosto, popeth a gredais ynddo, popeth a gofiaf, mae hwn ar fin eu dileu yn llwyr.

Gyda'r ymdrech eithaf, dwi'n camu oddi wrtho ac mae yntau'n caniatáu hynny. Er na allaf weld ei wyneb, gwn fod ei lygaid arnaf. Chwarae mig â mi y mae, fel cath â llygoden, gan wybod fod amynedd yn mynd i sicrhau

247

ei wobr. Mae ganddo reolaeth dros amser, gan iddo lyncu hwnnw, ac mi all f'arteithio'n feddyliol fel hyn dro ar ôl tro hyd dragwyddoldeb. Daw yn nes ataf eto, gan afael ynof, y tro hwn yn gadarnach. Fiw i mi strancio, does unman i ddianc rhagddo.

Yna, o rywle, fe glywaf sŵn pell i ffwrdd.

Cnoc cnoc.

– Ai dychymyg yw?

Cnoc cnoc.

– Pwy fyddai'n curo ar gaead arch?

Cnoc cnoc.

– Lle perchir preifatrwydd pawb...

Cnoc cnoc.

– A ddylwn i agor?

Cnoc cnoc.

– Ai ysbryd yw?

Cnoc cnoc.

– Does neb yno. Dim ond chwe hoelen yn cael eu curo i mewn i gaead. Dwi'n sownd yma am byth, bellach.

Dyma wireddu fy hunllef eithaf – y fi a'r Dim Mawr wedi ein cau gyda'n gilydd mewn arch am byth byth, yn oes oesoedd.

248

5 Ionawr

Fɪ ʏᴅɪ'ʀ ʙʀᴇᴜᴅᴇʀ ᴇɪᴛʜᴀғ, y trwch adenydd, y deigryn sych, yr ochenaid dawel, y gofid nad oes iddo fynegiant. Dydw i ddim eisiau bod dim mwy, i brofi'r edwino'n ymestyn fel darn o lastig. Pam na all bywyd ollwng gafael arnaf a pheri i mi syrthio i bydew dwfn? Does bosib y byddaf i'n parhau i ddarfod fel hyn yn ddiderfyn?

Fedra i mo'i brofi, ond hwn yw dydd fy nghladdedigaeth. Falle, wedi cael fy ngollwng i'r ddaear y caf orffwystra – yn bridd i'r pridd, lludw i'r lludw a llwch i'r llwch. Mi wn bellach sut mae llwch yn teimlo.

Rydw i'n ewyllysio darfod. Rydw i'n crefu na fyddaf yn ymwybodol tu hwnt i'r bedd. Dim ond gobeithio nawr y gwnaiff y Dim Mawr fy llyncu. Dwi'n gwbl ddibynnol ar drallwysiad cryf o anesthetig wnaiff bara hyd dragwyddoldeb. Dwi eisiau marw'n derfynol.

Bosib eu bod yn y capel nawr ar ganol gwasanaeth angladd. Dda 'mod i'n methu clywed eu teyrngedau ffug a'u geiriau gwag. Yr unig beth dwi'n erfyn arnoch ydi ar i chi adrodd gweddi ar fy rhan. Dim ond un fach – rhag ofn y bydd rhywun yn gwrando. Mae'n gysur eu bod yn dal yno, nad ydyn nhw eto wedi fy ngadael. Daw llun yn eglur i'r cof. Llun Persephone yw yn mynd lawr i Annwn. Mae ei gwisg yn ysgafn, olau ac mae'n rhyfeddol o dlws. Hi sy'n goleuo'r llun mewn cymhariaeth â thywyllwch dudew yr isfyd. Ond yr hyn a gofiaf yw'r ofn dychrynllyd ar ei hwyneb. Y sicrwydd yn y llygaid hardd yna na wêl hi byth eto olau dydd. Dwi ddim isio bod yn Persephone.

Ydw i ar y trên bach i Annwn? Fydd Pedr yno ar ddiwedd y lein?

Fydd o'n codi caead yr arch i weld pwy sydd yno ac yn edrych yn ei lyfr?

Wnaiff o dosturio wrthyf a'm anfon i'r Nefoedd, neu wnaiff o fy wfftio a'm gosod ar y trac i Uffern? Sut gwn i sut un yw Pedr? Beth os mai'r Diafol fydd o? Does gen i mo'r syniad lleiaf. Wn i ddim sut y mae'r drefn yn gweithio.

Lawr, lawr, rydw i'n bendant ar fy ffordd i

lawr. Mae'n union fel bod mewn lifft gan deimlo disgyrchiant yn fy nhynnu ato. Dyma'r daith lle rydw i'n camu dros y ffin ac yn gadael byd o amser. Rydw i'n cael fy nhywys, nage, yn cael fy sugno tuag at rym eithriadol iawn. O rywle, rwy'n clywed alaw, clywaf nodau cân yn glir. Ydi hi o'm blaen fel alaw i'm croesawu? Ydi hi tu cefn i mi yn cael ei chanu ar lan bedd? Yn sydyn, gwn o'i haith mai perthyn i'r henfyd a wna, hoff garol fy 'Nhad yw. Fe'i clywais yn rheolaidd bob Nadolig, dydw i erioed wedi gwrando arni fel hyn o'r blaen:

'Duw a'm cofiodd, Duw a'm carodd,
Duw osododd Iesu'n Iawn;
Duw er syndod ddaru ganfod
Trefn gollyngdod inni'n llawn.'

Carol amserol am ddyfodiad y doethion ydyw, am ddydd i'w gofio, am hen addewid yn dod i ben. Feiddiwn i obeithio bod elfen o wir yn y geiriau? Bod rhywfaint ohono'n gwneud synnwyr, nad ofergoel yw'r cyfan? Ydi hi'n rhy hwyr i mi gredu ynddynt?

Bryd hynny, digwyddodd rhywbeth od iawn, rhywbeth nad oes diben ceisio ei ddirnad. Gan eich bod chi yr ochr yna i'r ffin, mae'n anodd egluro, ond rhaid rhoi cynnig arni. Mae'n amhosib ei gyfleu yn ieithwedd meidrolion. Caf fy nghaethiwo gan hualau iaith. Wrth i'r geiriau gael eu canu ac wrth i minna chwilio'n wallgof am rithyn o ystyr, teimlais y dynfa yn fwy. Roedd Rhywun yn bendant yno, ac yn ewyllysio i mi gamu ymlaen. Yn niffyg yr un dewis arall, dyma fi'n llifo i'w gyfeiriad, a does dim ffurf na modd i mi drosglwyddo i chi yr hyn a brofais. Rwy'n ymwybodol eich bod chi'n dal i feddwl yn nhermau cyfyng gweld a theimlo. 'Randros, pum synnwyr sydd gennych chi ar y mwyaf. I ba un o'ch profiadau y gallaf ei gyffelybu?

Ydych chi wedi profi fod rhywun eich eisiau yn angerddol erioed? Eich bod yn golygu mwy i'r person hwnnw nag i neb arall sy'n bod? Boed o'n rhiant, yn gariad, yn blentyn, yn gyfaill, fe wyddoch gryfder eirias yr angen gwancus hwnnw. Maen nhw'n ewyllysio eich cael chi, maen nhw'n crefu am eich cwmni. Yn ddrwg eich hwyl, yn llawn llawenydd, yn union fel yr ydych, maen nhw am gael bod

252

gyda chi, ac am rannu popeth â chi. Cariad ydi'r gair sy'n dod agosaf at hyn, debyg gen i, eto mor wan a di-ddim y swnia.

Galwch o'n gariad, yn angerdd, yn beth bynnag fynnoch chi, fe'i teimlais yn sŵn y garol honno. Daeth geiriau'r gân yn gyfystyr â'r teimlad yr oeddwn yn ei brofi, nes iddo asio yn un. O rywle, wn i ddim tu hwnt i'r ddaear o ble, fe deimlais freichiau yn estyn amdanaf. Cofleidwyd fi a gwasgwyd fi i fynwes. Oedd, roedd o mor syml â hynny. Roedd trefn gollyngdod yn golygu rhywbeth.

Dyma'r gollyngdod eithaf, a'r hyn a'm synodd fwyaf oedd ei fod mor eithriadol o dyner. Y Grym mawr hwn yr ofnais cyhyd, roedd o mor enbyd o addfwyn! Mwythodd fi, collodd ddagrau drosof i, teimlais gynhesrwydd tanbaid y fynwes, ac roedd yr ochenaid yn un o ryddhad. Pam gadwais i draw gyhyd? Pam na fyddai rhywun wedi dweud wrthyf mai dyma fel yr oedd?

Yn noeth, fe'i wynebais, a'i dderbyn. Dyna pryd digwyddodd o. Dyna pryd y gwawriodd arnaf. Yn sŵn yr Haleliwia terfynol, daeth y cyfan yn eglur. Roedd y rhwystrau wedi eu symud ymaith. Felly fe ddaru 'na rywun fynd i'r lladdfa yn fy lle, fe gafodd y pris ei dalu! Roedd y cyfan i bwrpas gogoneddus, ac roedd y Dim Mawr wedi ei goncro. Do, profais euogrwydd byd, Duw a ŵyr 'mod i wedi profi digon o hwnnw, ond profais inna rym edifeirwch. Teimlais gariad yn crefu amdanaf, yn eiriol drosof, yn fy ngolchi'n lân, ac yn fy nhynnu ato. Aeth dyfodol, presennol a gorffennol yn un wrth i mi ollwng gafael ar amser. Do, cefais brofi'r dogn ychwanegol o Ras.

Roedd hi'n wawr ysblennydd, yn wawr na freuddwydiais erioed mo'i thebyg, yn wawr mwy bendigedig na feiddiais ei dychmygu, yn wawr na fyddai darfod arni.